PAR LE TEMPS QUI COURT...

JAN DE FAST

PAR LE TEMPS QUI COURT...

ROMAN

COLLECTION « ANTICIPATION »

EDITIONS FLEUVE NOIR
69, boulevard Saint-Marcel · PARIS-XIII⁰

IBSN 2-265-00081-7

CHAPITRE PREMIER

Dans n'importe quelle flotte spatiale de la Galaxie, la mission habituelle d'une hypernef légère de chasse et torpillage consiste à protéger les convois, couvrir les escadres de combat ou attaquer les objectifs isolés, mais rarement à s'aventurer loin en profondeur et seule dans le secteur ennemi — en « enfant perdu ». Si Ndilr avait programmé sa route pour émerger dans l'espace réel à moins de trois parsecs de Psi Eridani, ce n'était pas seulement parce que l'esprit de l'aventure primait chez lui celui de la discipline, mais surtout à cause de Mruzgh, ce blanc-bec de correspondant de guerre dont l'Etat-Major s'était débarrassé en le lui confiant. « Lui montrer à quoi ressemblent des opérations militaires spatiales... » Hé bien, il allait le voir, et à partir même de la zone de concentration adverse, là où une interception aurait le plus de chance de se produire ! Et voici justement que...

Sur les écrans où venait de réapparaître d'un seul coup le fourmillement des constellations, un intense spot orangé s'était aussi dessiné dans le second quadrant inférieur. Avec une joyeuse exclamation, Ndilr bloqua la propulsion, enclencha le zoom jusqu'à obtenir l'image nette d'un sphéroïde hérissé de protubérance et, simultanément, activa sur un lecteur de la console le défilement d'une longue séquence de silhouettes.

— Le voilà ! s'écria-t-il en stoppant la succession des profils schématiques. C'est le *Dirac,* croiseur lourd de classe T, quatre cent mille wargom de jauge massique... Ce n'est rien moins que le vaisseau amiral de la Deuxième Flotte Terrienne !

— Une unité de pareille taille ? Replongeons vite dans le continuum ! Avec l'armement dont ce planétoïde dispose, nous serons volatilisés dès qu'il nous détectera !

— Rien à craindre, nous sommes à plus de deux cents térh de distance et notre masse est trop minuscule pour être perçue d'aussi loin, surtout avec notre revêtement spécial. C'est une veine fantastique d'avoir émergé là où nous sommes ! Même pas de corrections à extrapoler, il ne bouge pas...

— C'est vrai, il paraît immobile. Pourquoi ? Je croyais que la première règle de sécurité consistait à se déplacer sans cesse.

— Il a sans doute fixé rendez-vous à une autre nef et il l'attend aux coordonnées prévues. A moi d'en profiter.

— N'est-ce pas un peu... lâche ? Comme de tirer sur un oiseau perché et endormi...

— La guerre n'est pas un sport, mon vieux. Mon boulot est de tout faire pour assurer la victoire de notre race, l'Imperium de Schlgan, et quand s'offre une aussi magnifique cible qu'un croiseur-amiral de la Fédération Terrienne, je ne vais pas m'attendrir !

— Mais si vous le manquez ! Il doit être entouré de champs de protection d'une puissance énorme et quand il ripostera...

— Nos nouvelles torpilles foncent à vélocité quasi luminique, il n'aura pas le temps de les repérer et les détruire en route. Je lâche toute la bordée de huit : d'abord cinq pour surcharger et incapaciter la barrière, sur les trois autres une au moins est sûre d'atteindre le but. Regardez !

Le pilote avait abattu ses mains sur le clavier de commande de tir, libérant les deux vagues de missiles décalées d'une fraction de milliseconde. Presque simultanément, l'écran central s'illumina d'une clarté insoutenable, un cercle flamboyant s'élargissant avec une effrayante rapidité — les charges d'antimatière des deux dernières torpilles avaient touché la grande coque, annihilant quatre millions de tonnes de métal et désintégrant amiral, officiers et équipage dans une immense Apocalypse. Plus de trois mille Terriens qui ne reviendraient jamais.

Avec un grand rire de victoire, Ndilr replongea dans le continuum. Il aurait peut-être un blâme pour avoir agi sans ordres, mais aussi de l'avancement en grade. Et Mruzgh rapporterait un bon reportage...

✢

Si Astrid fut la première à reprendre conscience et ouvrir les yeux, ce n'était pas que son
système nerveux soit plus résistant que celui
de ses camarades et capable de surmonter plus
rapidement les effets d'un choc — c'était plutôt l'instinct professionnel qui agissait sur elle
en catalyseur. Elle était le médecin de l'équipe
et c'était son devoir de soigner les autres s'ils
avaient survécu. D'un geste incertain et mal-
habile, elle libéra sa ceinture de sécurité, se
redressa et tout en respirant profondément
pour achever de rassembler ses forces, pro-
mena autour d'elle un regard qui s'éclaircissait
lentement. Le cadre qui se reconstituait autour
d'elle était bien toujours le même, celui du
poste central de la vedette de grande reconnaissance *A-3-Dirac* baptisé dans l'intimité *La
Vagabonde*, mais la faible lumière orangée
de l'éclairage de secours le rendait quasi spec-
tral. Non seulement la chaude ambiance des
fluodiffuseurs s'était évanouie mais toute lueur
avait disparu de la surface des tableaux et des
consoles : écrans, voyants de contrôle, toutes
ces multiples taches colorées et vivantes
s'étaient éteintes d'un seul coup, comme souf-
flées par la grande tornade de feu ; d'un bout
à l'autre du maître ordinateur jusqu'à la centrale de tir, il n'y avait plus que de complexes
structures de métal opaque où tout avait cessé
de vivre. En même temps une autre sensation
naissait en elle, plus angoissante encore que le
spectacle de ces cadrans vides et de ces disques

de cristal noir, celle de la disparition de quelque chose d'immatériel et pourtant essentiel.
Le bourdonnement quasi audible des générateurs, l'imperceptible vibration de la propulsion, la faible pulsation du conditionnement
de l'atmosphère intérieure, autant de bruits
intimes qu'elle avait cessé depuis longtemps
d'entendre tout comme l'on ne peut percevoir
les battements de son propre cœur, toute cette
perpétuelle symphonie en mineur s'était aussi
interrompue ; un silence total s'était abattu
comme une masse écrasante, plus effrayant
que la clameur la plus suraiguë. Le vaisseau
tout entier était mort...

La jeune femme secoua son reste de torpeur,
se leva, se précipita vers ses trois compagnons
immobiles, affaissés dans leurs fauteuils à
leurs postes de manœuvre : le commandant
de bord Ariel, la navigatrice Paola, le massif
Ephraïm, responsable de la technique. Un très
bref examen suffit à rassurer Astrid. Simple
état de choc tout comme pour elle, ils respi-
raient et commençaient déjà à bouger. La jeune
femme ouvrit la trousse d'urgence, administra
à chacun d'eux les toniques nécessaires par
voie percutanée puis diffusa largement dans
le poste un aérosol antiradiations — à tout
hasard du reste mais cela ne pouvait pas faire
de mal. Les trois astronautes réagirent presque instantanément et bien vite ils eurent traversé la phase brumeuse du réveil. Aucun d'entre eux n'émit le classique « où suis-je ? » et
Astrid regretta presque de n'avoir pas à répondre sombrement : « dans un tombeau »,
mais le tableau qui les entourait était suffisam-

ment parlant. Ariel se contenta de hocher la tête en contemplant les écrans vides.

— Que s'est-il passé au juste ? fit Paola. Je suivais les séquences d'émersion et je n'ai pas eu le temps de réaliser...

— Une très désagréable démonstration de la loi de Finagle, soupira le pilote. Vous la connaissez : plus un emmerdement est improbable, plus il a de chances de se produire... Nous sommes sortis dans l'espace réel à cinquante kilomètres du *Dirac* qui nous attendait et, juste au même moment, un quelconque salopard schlganien s'amusait à le prendre pour cible. J'ai à peine eu le temps d'être ébloui par la nova qui en résultait, la vague d'annihilation était déjà sur nous... J'ai dû automatiquement écraser le bouton de la réimmersion d'urgence puisque je vois qu'il est enfoncé à bloc, mais c'était pur réflexe conditionné, je ne m'en souviens pas.

— Heureusement que ta main a obéi sans attendre le contrordre ! fit Ephraïm. Crois-tu que le croiseur ait réellement été touché ?

— A en juger par la luminosité de l'explosion, je le crains ; une simple neutralisation de missiles par les champs de protection n'aurait pas provoqué pareil feu d'artifice et la boule de plasma ne se serait pas élargie jusqu'à nous. Ils ont dû employer des torpilles à très haute vélocité luminique et en deux vagues décalées.

— Affreux..., murmura Paola. Somme toute, nous en sommes un peu responsables, le Dirac était immobile parce qu'il nous attendait et il constituait un objectif facile. Juste une ou deux petites minutes au milieu de l'immensité de l'espace et cela a suffi pour anéantir tous nos camarades...

— Je ne sais pas si tu l'as remarqué, mais il y a une guerre interstellaire en cours en ce moment et ce genre d'aléa fait partie du jeu. Pour l'instant il y a encore quatre survivants qu'il serait peut-être bon de ne pas ajouter à la liste des victimes...

— Tu as raison ! s'exclama Ephraïm en se levant. La coque de *La Vagabonde* semble avoir résisté puisque l'air est immobile et donc ne s'échappe pas, mais nous n'entendons plus les machines, elles sont arrêtées. La surcharge a dû déclencher tous les disjoncteurs — j'espère que cela n'a pas été plus loin — il faut que j'aille voir immédiatement si je peux remettre les génés en activité. Sinon, avant deux heures, la température va dégringoler au-dessous du minimum vital, et ça continuera jusqu'à ce que l'air lui-même se transforme en flocons de neige. Tu me diras que ça n'aura plus beaucoup d'importance, car il sera devenu irrespirable avant...

— Mets quand même ton scaphandre avant de passer les portes étanches. Des fois qu'il n'y ait plus que le vide derrière...

Le technicien avait déjà disparu dans la coursive, puis de longues minutes s'écoulèrent, s'additionnèrent avec une angoissante lenteur pendant que tous trois demeuraient muets, n'osant exprimer à haute voix la pensée qui les torturait. Ariel en particulier devait se maîtriser pour ne pas se précipiter à la suite de son camarade, mais il savait qu'Ephraïm était de très loin le meilleur dans la spécialité, mieux valait le laisser faire et surtout ne pas le gêner. Enfin, après une éternité, il leva la tête, tourna vers les deux jeunes femmes un regard brusquement redevenu lumineux. La faible vibration familière animait de nouveau les parois de métal. Elle s'interrompit d'ailleurs après quelques instants, reprit, s'arrêta encore et finalement se stabilisa. Successivement, la lumière se ralluma et peu après, une vague d'air frais traversa le poste. Ephraïm s'encadra dans la porte, jeta dans un coin le casque de son vidoscaphe.

— Heureusement que nous formons à nous quatre la totalité de l'équipage et que nous étions tous ici, grogna-t-il, je n'aurais pas donné cher de la peau de passagers logés dans la section arrière... Les surtensions ont été telles que les radiations secondaires ont dû atteindre pendant un moment la dose létale. C'est une bonne chose que le poste central possède sa cage supplémentaire d'isolement, mais on a dû quand même en prendre un paquet !

— Sans trop de gravité, assura Astrid. Je viens de passer une goutte de mon sang à l'analyseur, les éléments figurés seront vite redevenus normaux.

— De gros courts-jus ? interrogea Ariel.

— Non, sinon je n'aurais pas si facilement remis en route génés et annexes, mais un tas de circuits secondaires grillés et qu'il va falloir réparer. Au fond, nous nous en tirons remarquablement bien. Mais si ton réflexe avait été un quart de poil moins rapide...

— Ne me félicite pas, je ne l'ai vraiment pas fait exprès. Je suis simplement devenu à moitié robot depuis le temps que je fais ce métier. En tout cas l'essentiel est que la coque soit demeurée étanche et que la vie soit revenue à l'intérieur. Le stock de pièces de rechange dont nous disposons en tant que vedette à grande autonomie suffira certainement pour que tu puisses remettre en état tout ce qui est encore défaillant. Aucune nouvelle attaque n'est à craindre là où nous nous trouvons.

— Nous sommes donc bien passés dans le continuum ? interrogea Astrid. Les tableaux de bord sont toujours inertes...

— C'est justement leurs connexions que je vais m'efforcer de rétablir en premier, sourit Ephraïm. Mais il n'y a aucun doute que la translation s'est bien effectuée normalement, sinon tu ne serais plus là pour poser la question ni moi pour te répondre. Jusqu'à l'émersion nous sommes parfaitement à l'abri puisque aucune rencontre matérielle n'est possible dans ce milieu et quand nous ressortirons, nous serons certainement très loin de notre point de départ.

— La question est justement de savoir où et quand aura lieu cette émersion, intervint Paola. Nous avons plongé sans programmation préalable depuis un temps indéterminé et jusqu'à ce que le maître ordinateur soit de nouveau normalement alimenté, nous sommes en dérive quadridimensionnelle, et même Astrid devrait savoir au moins théoriquement ce que cela veut dire.

— Evidemment, je connais mieux la biologie moléculaire que la cinématique de l'espace, mais je sais quand même que nous suivons forcément une sécante et que toutes les sécantes aboutissent nécessairement quelque part dans le champ de gravitation d'un astre réel. Ne pouvons-nous calculer où se trouvera ce nœud terminal de façon à estimer une position ?

— Mais comment donc ! Ce n'est qu'une toute petite équation à neuf inconnues et plus de deux cents paramètres variables... Non, chérie, nous devons attendre que les constellations réapparaissent sur les écrans — si Eph réussit à les ressusciter et si nous n'avons pas changé de Galaxie entre-temps. Dans l'univers euclidien, le plus court chemin d'un point à un autre est la ligne droite et il n'y en a qu'une. Ici, non seulement ce n'est pas une ligne mais il y en a une infinité. Nous sommes peut-être hors de danger immédiat mais nous ne sommes certainement pas au bout de l'aventure.

— Allons, Paola, intervint Ariel, ne sois pas si pessimiste ! Je reconnais que tu es la plus sage de notre tétrade mais ce n'est pas une raison pour noircir le tableau. Tu sais très bien que pareil incident : une immersion d'urgence, est prévu depuis longtemps, le maître ordinateur se règle automatiquement sur les coordonnées de notre base terrienne. Il mettra peut-être plusieurs jours de temps-vaisseau, voire plusieurs semaines à retrouver la sécante correspondante, mais il nous ramènera au port.

— En principe, Ariel, en principe... Si ta chère loi de Finagle ne joue pas encore une fois...

Ce qu'Ariel dénommait temps-vaisseau ne manquait pas en effet car si, pour un hypothétique observateur placé hors de la méta-galaxie, le déplacement d'une nef dans le continuum est immédiat — immersion et émergence étant simultanées sur l'échelle cosmique — la seconde loi de la relativité absolue jouait et le système matériel autonome formé par cette nef évoluait sur ses propres coordonnées intérieures ; le voyage n'était instantané que par rapport à la sphère du Cosmos, pour l'équipage il continuait à présenter une durée mesurable, un chronologie qui pouvait aussi bien se définir en heures ou en mois. Dans le cas le plus favorable et si les séquences suivies ne se révélaient pas trop erratiques, il fallait compter au moins quatre ou cinq jours de ce temps relatif avant dc surgir au milieu des étoiles ; cela suffirait largement pour réparer l'essentiel des organes endommagés. Ephraïm s'y consacra entièrement, aidé par Paola et Ariel tandis qu'Astrid se désolait de ne pouvoir être d'aucun secours dans le domaine technique, et bientôt tous les tableaux et consoles du poste central retrouvèrent leurs scintillements coutumiers. Seuls les écrans de vision et de détection extérieures demeuraient obscurs.

— C'est normal puisqu'il n'y a rien à voir ni à enregistrer dans le continuum, commenta le maître technicien. Mais le boulot n'est pas

achevé. Il est très probable que les objectifs et
les antennes ont été carbonisés quand le front
de l'onde a léché la surface de la coque. Je
dois les changer, sinon quand nous ressortirons
là-haut, nous serions dans le noir et incapables
de manœuvrer.

Ce fut la phase la plus difficile de l'opération. Certes, dans son scaphandre spécial solidement amarré à la nef, Ephraïm ne courait
qu'un danger minimum, seulement, en fran-
chissant le sas, il changeait aussi de monde et
le milieu intermédiaire dans lequel il se retrouvait, celui du champ-enveloppe, était totalement « autre ». Malgré le faisceau intense de
son projecteur de casque, le technicien était
devenu pire qu'un aveugle, car un aveugle est
simplement un homme qui ne voit rien tandis
que sa vision à lui s'était changée en une fantastique hallucination ; couleurs et formes
n'avaient plus rien de commun avec la réalité.
La masse de la vedette était remplacée par un
abîme noir déchiqueté par des franges et des
zébrures éblouissantes d'incandescences alors
que l'espace environnant se transformait en
une architecture mouvante où s'enchevêtraient
en un écœurant déferlement toutes les teintes
à l'exception de celles du spectre, toutes les
géométries que même un Riemann ou un
Lobatchevski n'auraient pu rêver. Le mieux
était d'éteindre le projecteur et fermer les pau-
pières et même comme cela la sensation d'impossible irréalité persistait, les doigts eux-mêmes avaient du mal à identifier les contours
des objets ou des outils. Les gestes devenaient
maladroits, l'esprit flottait à son tour dans cet

univers dément. Malgré son entraînement,
Ephraïm était incapable de travailler longtemps dans ce milieu inhumain ; il ne pouvait
y demeurer plus d'une dizaine de minutes de
suite, revenant reprendre son équilibre mental
au sein des sécurisantes structures tridimen-
sionnelles, replongeant dans l'inconnaissable.
A chaque fois il lui fallait retrouver à tâtons
l'emplacement exact du capteur ou d'un objectif, le dégager de son logement alors que jonc-
tion, collerettes ou pas de vis étaient à moitié
fondus par la vague thermique, le remplacer
par un autre, rétablir le faisceau des connexions, assurer l'étanchéité... Seize heures de
travail, vingt-deux au total avec les pauses, et
tout cela seul ; quand Ariel tenta de sortir à
son tour pour l'aider, il ne put tenir plus de
trois minutes et parvint tout juste à débloquer
un petit écrou. Enfin, livide et chancelant,
Ephraïm put se débarrasser de son encombrante tenue, s'écrouler dans un fauteuil et
avaler d'un trait un énorme verre d'alcool gé-
néreux auquel Astrid avait mêlé un puissant
régénérateur d'activité cellulaire.

— Ça ira à peu près, fit-il, nous avons de
nouveau des fenêtres sur toutes les fréquences,
mais je ne réponds pas qu'elles nous donne-
ront pleine satisfaction. Ce sera à peine de l'à-
peu près. Quand nous serons de retour et que
nous pourrons nous poser, je terminerai le
boulot, ou plutôt je laisserai les gars de la
section technique le faire...

Paola se pencha sur lui, lui caressa tendre-
ment le front.

— Ne compte pas trop sur leur aide, Eph...

De mon côté j'ai vérifié le cristal-mémoire de
la programmation de retour d'urgence. Les disjoncteurs de protection avaient fonctionné très
vite, mais pas tout à fait assez... Les coordonnées sont pratiquement effacées — désormais
Dieu seul, s'il existait, saurait où nous allons
émerger...

*
**

Cinquante heures plus tard, *La Vagabonde*
entrait dans la courbure d'un nœud et, accompagnée par un quaduple soupir de soulage-
ment, réintégrait l'univers espace-temps. Cette
émersion fut accueillie avec d'autant plus de
joie que l'équipe se préparait déjà à un long
et monotone séjour dans le continuum mais
cette satisfaction fut loin d'être complète et le
spectacle offert par les écrans de vision extérieure provoqua chez Ephraïm un haussement
d'épaules résigné.

— J'ai fait ce que j'ai pu..., murmura-t-il.
Pourtant j'espérais quand même que ce serait
un peu mieux que ça.

En effet, sur tout l'ensemble des objectifs
recoupant par sections la sphère céleste, un
seul fonctionnait à peu près convenablement,
tous les autres ne donnaient que des images
brouillées et pratiquement illisibles, hors de
focale — aberration qui n'avait rien d'étonnant
étant donné l'état dans lequel se trouvaient les
supports externes. Heureusement, celui qui demeurait net était celui de la visée axiale avant ;
on pourrait donc à tout le moins reconnaître la
route, mais non pour l'instant déterminer une

position, puisqu'on ne pouvait identifier et
trianguler simultanément plusieurs constellations dans ce brouillard que seul un incurable
optimiste aurait qualifié de flou artistique.
Toutefois, Ariel éprouva une certaine consolation lorsque apparut dans le champ central l'astre dont le puits de gravitation avait provoqué
le retour : ce n'était pas une étoile solitaire,
tout un cortège de planètes l'entourait. Il y eut
cependant une nouvelle déception lorsqu'il es-
saya d'augmenter le grossissement pour faciliter l'examen, le zoom se refusait à fonctionner.
La vision télescopique était impossible, ce qui,
néanmoins, n'empêcha pas les spectrogrammes
de se contenter du minimum de lumière reçue
et de déterminer que l'une des planètes en vue
possédait un atmosphère contenant tous les
éléments propres à la vie organique.

— Sa distance au primaire lui assure également une température de surface normale,
nous pourrons nous y poser sans avoir à prendre de précautions particulières et nous ten-
terons de là de déterminer tranquillement
notre position.

— Mais, proposa Ephraïm, si tu préfères effectuer auparavant les premières mesures, je
peux ressortir sur la coque et régler toute la
batterie des viseurs ? Nous sommes maintenant dans le vide normal et non plus dans cet
enfer psychédélique ; quelques heures de boulot peinard suffiront.

— Non, mon vieux, je préfère ne pas attendre, il n'y a pas que la télé qui fonctionne mal,
la propulsion aussi est déséquilibrée, les plaques émettrices de sustentation ont souffert et

ce n'est pas dans l'espace que tu les changeras.
Je veux m'en servir avant qu'elles ne nous lâ-
chent complètement et que nous ne tombions
dans le champ d'attraction de ce soleil. Je
fonce sur la parabole la plus directe.

— J'espère que nous ne nous retrouverons
pas à l'arrivée dans un camp de prisonniers
de guerre ! émit doucement Astrid. Imagine
que cette planète fasse partie de l'Empire
schlganien...

— Peu probable. Les détecteurs d'activité
électromagnétique m'ont l'air de fonctionner
normalement. Les enregistrements des émissions de ce soleil de type G 2 sont très nets,
mais il n'y a rien qui puisse correspondre à
des manifestations artificielles dans notre axe.
Cette planète est soit inhabitée, soit en tout
cas à un stade pré-technologique. Si c'était une
colonie dépendant des autres ou de la Fédération, il y aurait au moins une centrale électrique détectable, non ? Du reste il y a de fortes
chances que nous soyons sortis des secteurs de
l'expansion humaine. La Galaxie est grande, tu
sais ?

Sous accélération maximum et donc considérable, même compte tenu des limitations impo-
sées par les déficiences de la propulsion, la trajectoire se déroulait rapidement. Bientôt le
disque planétaire devint perceptible, continua
à grossir régulièrement. Cependant l'extrapola-
tion de la parabole calculée par Paola ne tarda
pas à démontrer que la pénétration allait s'effectuer sur la face nocturne, ce qui ne faciliterait guère les dernières manœuvres. La nef
entra dans le cône de pénombre puis dans celui

de l'ombre, plongeant toujours vers cette masse obscure dont les contours dépassaient maintenant le cadre de l'écran. Mâchoires serrées, Ariel attendit jusqu'à la dernière minute pour inverser la chute, déjà le sifflement de l'air perforé par le bolide emplissait le poste d'un hurlement suraigu. La poussée hypergravifique se manifesta sans retard. Les traits du pilote se détendirent légèrement.

— Je crois que ça tiendra jusqu'au bout... Mais nous sommes en train d'amorcer un spin très indésirable, je passe sur commande manuelle.

Le début de vrille vertigineuse s'arrêta, le vaisseau reprit son équilibre, passant en descente oblique qu'Ariel s'efforçait d'arrondir progressivement malgré les dures secousses qui faisaient vibrer la coque de bout en bout ; il ne s'agissait pas de trous d'air, la vedette n'était pas un archaïque aéroplane, mais c'était en fait beaucoup plus grave : la sustentation magnétagravifique rechignait de plus en plus. Pour comble de malchance une épaisse couche de nuages se présenta, qu'il fallut traverser en comptant uniquement sur les détecteurs de proximité pour révéler un obstacle éventuel, avec par-dessus le marché la quasi-certitude de ne pouvoir l'éviter à temps ; la nef devenait difficilement manœuvrable. Enfin le ciel s'éclaircit, une ligne uniforme apparut dans la partie inférieure de l'écran. La mer s'étendait à moins de deux mille mètres au-dessous d'eux.

— On peut toujours amerrir, hasarda timi-

dement Paola, ce sera moins dur que le rocher...

— Mais ça ne faciliterait pas les réparations
avec une coque aux trois quarts dans l'eau.
J'aperçois une crête là-bas sur l'avant, une
montagne dont le sommet ne semble pas trop
tourmenté. Avec un peu de chance...

Il n'en fallut pas seulement qu'un peu mais,
après toutes ces alternances de bonne et de
mauvaise humeur, le destin avait décidé de se
montrer enfin favorable en ménageant dans la
première arête une étroite échancrure par laquelle *La Vagabonde* réussit à passer d'extrême justesse pour déboucher au niveau d'un
plateau d'assez grandes dimensions, encadré
entre le défilé et la muraille terminale du véritable sommet. Ariel coupa résolument le reste
de la sustentation, enclencha le réacteur de secours en poussée inversée. Pendant une longue
et mortelle seconde, rien ne se passa, le pilote
impuissant fixait d'un regard dilaté la falaise
qui se précipitait à sa rencontre puis, brutalement, la tuyère cracha son ouragan de feu
atomique. La coque gémit, sembla se tasser
sur elle-même, oscilla, racla le sol pierreux,
s'immobilisa dans un dernier soubresaut à
moins de vingt mètres du mur de rocher.

— Je... je crois que nous y sommes, n'est-ce
pas ? murmura Astrid d'une toute petite voix.

— Terminus, fit paisiblement Ephraïm. Tu
peux débloquer ta ceinture.

Instantanément reprise par sa conscience
professionnelle, la jeune femme obéit aussitôt
et ce fut d'un pas presque assuré qu'elle alla

se pencher sur les analyseurs d'environnement qu'elle activa les uns après les autres.

— Atmosphère rigoureusement standard, annonça-t-elle au bout d'une minute. Radio-activité nulle ou plus exactement inférieure à dix millirems. Peu de germes en suspension dans l'air. Aucun pathogène, pas le moindre agent toxique ou toxinique. On peut ouvrir portes et fenêtres...

— Espérons en tout cas, sourit Ariel, que le panneau du sas n'aura pas été faussé dans le dernier choc et que la rampe acceptera de se déplier...

Ainsi qu'il était de son devoir, Astrid fut la première à poser le pied sur ce monde inconnu, emportant avec elle l'appareil destiné à compléter l'analyse fine des constituants du biotope. La dernière confirmation de viabilité au sol obtenue, elle leva les yeux, considéra les nuages qui couraient au-dessus de sa tête.

— Le vent vient du nord, fit-elle avec une parfaite inconséquence. Nous aurons peut-être de l'orage mais il fera sûrement beau demain...

CHAPITRE II

Les prévisions d'Astrid ne reposaient sur aucune base, puisque la météorologie et même la position des points cardinaux de la planète lui étaient inconnues, mais elles se révélèrent exactes et quand l'équipe eut pris quelques heures de sommeil, ils sortirent sous un ciel d'azur où montait un soleil radieux. Côte à côte ils s'éloignèrent de quelques dizaines de pas, foulant le sol d'argile rouge et de roc blanc, avançant entre des arbustes d'un vert glauque et brillant, des buissons épineux, de petits arbres au tronc rougeâtre et tordu, et respirant à pleins poumons un air tiède et chargé de senteurs aromatiques. Des milliers d'insectes bourdonnaient tout autour ; des papillons aux ailes diaprées voletaient çà et là, des lézards d'un bleu de turquoise couraient sur les cailloux. Toute une vie intense et minuscule animait le plateau désert et s'exhalait dans la lumière en monotones crissements.

— Magnifique ! soupira Ariel. Un peu sub-tropical, mais au sortir de l'espace, le moindre fouillis de ronces paraît un éden.

— Des ronces qui ressemblent beaucoup à des mûres, fit Astrid. Je suis sûre qu'elles sont comestibles. Tout ce qui nous entoure, d'ailleurs, évoque bien un paysage du Midi européen et jusqu'au chant des cigales. J'ai vraiment l'impression de m'y retrouver ! La pesanteur est la même que sur la Terre et je suis prête à parier que la durée du jour solaire ne doit pas être différente.

— Du peu que nous avons pu en voir pendant la descente, souligna Paola, le diamètre et la masse de cette planète sont du même ordre de grandeur que pour notre monde d'origine et, comme par surcroît, l'atmosphère présente aussi une composition identique, la vie ne devrait-elle pas logiquement évoluer vers les mêmes formes ?

— C'est juste. Une similitude de biotope entraîne celle des adaptations et des morphologies. Notre mère la Nature manque d'imagination, quand elle a mis au point un éventail d'archétypes elle s'y tient obstinément.

— Je connais pourtant une planète où les reptiles ont six pattes et les oiseaux quatre, ce qui fait également six membres avec les ailes, remarqua Ephraïm.

— Delta Centauri IV ? C'est un cas particulier où justement le milieu de base est différent : l'atome de silice remplace celui du carbone en y ajoutant une composante ternaire. C'est pourquoi ni les animaux supérieurs ni l'homme n'y sont jamais apparus, il n'y a que les divinités hindoues qui possèdent plusieurs paires de bras et arrivent à s'en servir sans se faire des nœuds...

— Alors qu'ici ce serait possible et même peut-être déjà arrivé ? Peu importe d'ailleurs ; à mon point de vue et pour le moment, le coin est tranquille à souhait et je vais pouvoir rénover notre *Vagabonde* sans être obligé de m'enfermer dans un vidoscaphe et de m'agripper à la coque avec les électro-aimants.

Ils se retournèrent pour contempler le vaisseau immobile au pied de la falaise et la même grimace se dessina sur leur quatre visages. La belle vedette aux lignes si pures offrait un bien triste spectacle avec son revêtement de métal noirci par le feu ou rongé par endroits de grandes plaques de lèpre rougeâtre. Elle ressemblait à une épave échouée après des millénaires de dérive dans l'océan galactique.

— Bien sûr, ce n'est pas très beau à voir, mais ce n'est pas grave. Toute cette érosion est superficielle, la coque elle-même est intacte en dessous. Je n'irai pas jusqu'à la briquer au papier de verre pour lui rendre son éclat primitif, ce sera le boulot des mécanos de la Base quand nous reviendrons. Mais je vous promets que tous les équipements périphériques seront comme neufs cette fois, y compris les sustentateurs. Avant d'attaquer le travail, si on allait voir jusqu'au bout du plateau à quoi ressemble le paysage en dessous ?

Ce bout n'était guère qu'à trois cents mètres, les deux crêtes encadrant la surface à peu près horizontale sur laquelle ils avaient atterri s'écartaient l'une de l'autre en forme de V, s'ouvrant sur un thalweg inférieur élargi dont le plateau n'était en somme que le palier supérieur. De la ligne de changement de pente on devait dominer le paysage sur tout un secteur. Ariel rebroussa chemin pour aller se munir d'une paire de jumelles, rejoignit ses camarades et, bientôt, tous avaient atteint le rebord de la grande plate-forme triangulaire. C'était bien un vallon étagé en ressauts successifs qui s'ouvrait à leurs pieds, descendant progressivement jusqu'à s'étaler en une surface verdoyante à demi boisée que le regard dominait de quelque huit ou neuf cents mètres de différence d'altitude. Un peu plus loin, cette plaine se terminait par une ligne irrégulière et déchiquetée de rochers rouges bordés d'une frange blanche et, au-delà, jusqu'à l'horizon, c'était la mer. Une mer d'un bleu profond, violet.

— Ça correspond bien à ce que nous avons vaguement aperçu pendant les dernières minutes de vol, fit Paola. Je ne sais pas s'il y a quelque part des continents sur ce monde, mais nous avons terminé notre trajectoire en pleine région océanique. Nous sommes très probablement sur une île. On en distingue d'ailleurs deux autres, là-bas, dans le lointain.

— De petits îlots, plutôt, répondit Ariel en braquant ses lunettes d'approche.

Il abaissa les objectifs vers la plaine côtière, demeura un long moment à fouiller le paysage à demi estompé par une tremblante brume de chaleur. Puis, avec un pâle sourire, il tendit les jumelles à Astrid.

— Ta théorie sur la finalité des évolutions similaires est justifiée, chérie. Regarde : ces

quadrillages réguliers posés en escaliers au-
dessous de la ligne d'arbres sont des champs
cultivés. Cette tache brunâtre sur la côte est
un village et l'anse qui s'ouvre à ses pieds pourrait très bien être un petit port de pêche.
L'homme est apparu sur cette planète...

— A un stade bien primitif, en tout cas...,
murmura la jeune femme.

La distance et le grossissement limité des lunettes ne permettaient qu'un examen d'ensemble mais Ariel avait raison : c'était bien une
petite agglomération habitée qui se dressait
au bord de la côte. De simples cabanes pour
la plupart avec des murs et des toits en terrasses dont la couleur ocre brûlé laissait penser que l'argile constituait le principal matériau ; briques grossières ou plus simplement
torchis de terre et de paille hachée. Deux ou
trois bâtiments de plus grande dimension offraient une couleur nettement plus claire, sans
doute employait-on aussi la pierre, mais le fait
que ce genre de construction parût exceptionnel signifiait que l'extraction et la taille des
blocs n'étaient pas faciles et donc que les outils
ne devaient pas encore avoir de beaucoup dépassé le stade du néolithique. Quant à la nature humanoïde des indigènes, elle était évidente. Si minuscules que fussent les silhouettes
qu'on apercevait un peu partout entre les
maisons, elles étaient indiscutablement bi-
pèdes.

— Une race déjà relativement civilisée, jugea
Astrid, non seulement ils ont découvert le feu

à en juger par les fumées qu'on distingue mais ils se sont sédentarisés et connaissent l'agriculture. L'élevage aussi, on dirait bien qu'il y a des chèvres et des moutons...

— Nous irons leur demander du lait ! fit Ephraïm. En attendant, j'espère qu'ils ne monteront pas jusqu'ici nous attaquer, ce serait contraire à mes principes d'être contraint à employer nos armes modernes contre des masses préhistoriques...

— Ça m'étonnerait qu'ils se montrent hostiles si nous ne le sommes pas nous-mêmes, émit Astrid. Mais il faut profiter de l'occasion pour les étudier !

— C'est indispensable, approuva Ariel, et c'est même réglementaire. Toute nef des Forces, que des circonstances indépendantes de sa volonté entraînent sur une planète inconnue non cataloguée, doit réunir une documentation générale et rassembler toutes les informations utiles en vue d'une éventuelle prospection ultérieure du nouveau secteur. Momentanément nous ne sommes plus des guerriers mais des explorateurs.

— Je commencerai d'abord par établir les coordonnées galactiques de notre découverte, fit Paola, sinon le rapport en question ne servirait pas à grand-chose...

— C'est ton travail, comme celui d'Eph est de remettre en état les télescopes optiques, radios et X dont tu auras besoin. Pendant ce temps, j'irai me promener aux abords de la zone côtière pour me rendre compte si une prise de contact avec les indigènes est possible. La présence ici d'une race intelligente constitue un facteur de première importance. Nous serions inexcusables si nous ne cherchions pas à l'étudier.

Finalement il fut décidé que l'expédition de reconnaissance serait effectuée par le couple Ariel-Astrid. Le travail de rénovation du vaisseau pouvait d'autant mieux se passer d'eux que la technique n'était guère l'affaire du pilote, pas du tout celle de la jeune femme qui, en revanche, était le plus à même d'étudier l'anatomie, la psychologie et le comportement des autochtones. Du reste, Ariel ne tenta même pas de la dissuader en soulignant les risques que pouvait comporter la promenade ; le projet l'enthousiasmait à un tel point que, pour empêcher d'y participer, il aurait fallu la ligoter et l'enfermer à clef dans sa cabine. Le départ fut fixé au lendemain matin et en attendant ils mirent au point leur équipement. Le problème du costume fut discuté en premier ; les classiques combinaisons d'astronautes offraient l'avantage d'assurer une certaine protection corporelle grâce à leur tissu métallisé spécial, à l'épreuve de toute perforation, fût-ce par une pointe de flèche ou de javelot ; mais aux yeux de sauvages probablement à demi nus, elles donneraient aux visiteurs une apparence par trop fantastique, surgie comme une menace des profondeurs de la terre, et cela fausserait les rapports. Le mieux était somme toute de se « mettre en civil » et, la douceur du climat aidant, de se contenter d'une simple tunique et de solides sandales.

— Dans les civilisations primitives, rappela Astrid, le costume était réduit à l'essentiel :

peaux de bêtes ou, plus tard, morceaux d'étoffes ; ensuite apparurent les vêtements compliqués multiples et encombrants qui s'efforçaient de dissimuler pudiquement le corps sous prétexte de le parer. Ce n'est que lorsque l'évolution a été suffisamment avancée que l'on a redécouvert que la peau avait besoin de respirer et que les mouvements devaient être libres. Les extrêmes se touchent, à part la nature des matériaux, la vêture de notre siècle ne doit pas différer beaucoup de celle en usage dans ces tribus.

Cependant il était préférable que cette théorie ne soit pas poussée à la limite et que les explorateurs continuent à bénéficier des ressources de leur ère, ne fût-ce que sur le plan de la sécurité, aussi emportèrent-ils chacun un petit pistolet sidérant facile à dissimuler dans la ceinture. Cette arme paralysante avait l'avantage d'être silencieuse et de ne pas risquer de provoquer une terreur panique comme l'auraient fait un thermique ou un fulgurateur. D'autre part ils avaient fixé au col de leur tunique de minuscules communicateurs, leur permettant de rester en liaison radio avec la nef, sans oublier d'y adjoindre une caméra image-son ultraminiaturisée.

— Si vous vous heurtez à une hostilité trop marquée, commenta Paola, vous n'aurez qu'à appeler au secours. Nous tiendrons prêt le petit moule de débarquement et Eph foncera comme un Dieu vengeur surgi du ciel.

— Ça n'ira sûrement pas jusque-là, sourit Ariel. Nous n'entrerons dans le village que si l'attitude des indigènes est hospitalière, et j'es-

père bien éviter toute manifestation traumati-
sante. Toutefois il est bon de savoir que vous
pourrez nous épargner une partie de l'ascension du retour, les dernières pentes ont l'air
abruptes et le soleil est bien chaud. On partira
à l'aube...

Aux premiers rayons, le pilote et la biologiste se mirent en route, entamèrent une descente qui, dans sa première moitié, se révéla
passablement malaisée, tant par la présence de
multiples petites barres rocheuses coupant fréquemment le vallon que par l'abondance des
buissons épineux enchevêtrés un peu partout.
Astrid dut se livrer à des efforts inouïs pour
éviter que ses jambes nues soient ensanglan-
tées d'éraflures et en vint presque à regretter
la combinaison qu'elle avait repoussée. Enfin,
quand deux heures plus tard ils atteignirent la
limite supérieure de la zone arboricole de véritables chênes verts, la marche devint plus
facile. La pente couverte d'herbe serrée s'adou-
cissait et le feuillage les protégeait de l'ardeur
du soleil. Au bout d'une demi-heure ils décou-
vrirent les vagues indices d'un sentier qui allait
en se précisant, traversèrent une clairière où
la présence de nombreuses souches témoignait
d'une certaine activité forestière humaine, et
finalement débouchèrent au niveau des cultures. De ce point où le sentier s'élargissait en
un véritable chemin raviné et bordé de petites
murettes de pierre sèche, le proche panorama
s'ouvrit devant eux : l'étroite bande de la
plaine, la ligne sinueuse de la côte avec ses
rochers et ses plages claires ourlées d'écume,
le village entouré de petits prés.

— Les ressources agricoles jouent visiblement un rôle prépondérant pour cette race, remarqua Astrid, ils ont déjà appris à tirer le meilleur parti d'une terre aride et ingrate avec les cultures en terrasse qui retiennent l'eau des précipitations. Regarde celles-ci, on dirait bien des céréales, blé ou seigle, je ne m'y connais guère...

— Mais les lignes de plants qui s'allongent en dessous ont un aspect bien caractéristique. C'est sûrement de la vigne. Bon signe, Astrid, une civilisation qui a inventé le vin ne peut être que sympathique !

De fait, la théorie des similitudes de morphologie dans les biotopes analogues se vérifiait de remarquable façon, tout au moins en ce qui concernait le règne végétal. Non seulement les plantes étaient chlorophylliennes mais leur structure, la forme de leurs feuilles et de leurs fleurs ne différaient à première vue en rien de celles de leurs congénères terrestres. Ici comme là-bas, la classification de Linné paraissait valable : graminées, ampélidacées, rosacées... Restait à savoir si ce parallélisme déjà précédemment observé dans le monde des insectes, des reptiles, ou des oiseaux, se prolongeait sans divergences jusqu'à l'anthropoïde supérieur. Les deux explorateurs n'allaient pas tarder à être fixés sur ce point. Quelques centaines de mètres plus loin et presque au bord du chemin ils aperçurent les premiers autochtones ; une demi-douzaine de paysans des deux sexes occupés à retourner un carré de terre à l'aide d'instruments résolument antédiluviens : des fourches recourbées et des bêches aplaties entière-

ment faites de bois durci sans la moindre
trace de métal. A l'approche des étrangers, les
travailleurs se redressèrent avec un bien com-
préhensif ahurissement, mais sans donner cependant le moindre signe de crainte. Leurs attitudes et leurs regards ne dénotaient que la
surprise et la curiosité. Durant un moment, les
indigènes et les Terriens demeurèrent immobiles, face à face, pendant qu'Astrid les examinait avec une attention toute professionnelle, facilitée par le fait qu'ils étaient pratiquement nus sous les brûlants rayons du soleil. Ce n'étaient pas des humanoïdes, c'étaient
vraiment des humains, des hommes et des femmes jusqu'aux moindres détails anatomiques.
Bien que d'assez petite taille, ils n'avaient rien
de simiesque, le front et les membres étaient
bien proportionnés, le visage régulier et sans
trace de prognathisme, leurs crânes arrondis
de brachycéphales leur conféraient déjà l'aspect moderne de l'homo faber. Leurs cheveux
étaient noirs et leurs iris bruns mais le ton
cuivré de leur peau n'était certainement pas dû
à une pigmentation permanente mais seulement à leur vie de plein air ; ils étaient de race
blanche.

L'effet de surprise se dissipa bientôt et l'un
des paysans, cueillant au passage un morceau
d'étoffe brune qu'il ceignit autour de ses reins,
s'avança jusqu'à la murette, à moins de deux
mètres du couple puis, après les avoir encore
attentivement dévisagés, articula une assez longue suite de vocables évidemment hermétiques
qui se terminaient sur le mode interrogatif.
Ariel et Astrid se regardèrent et le pilote ne put

que hausser les épaules et ouvrir les bras en signe d'incompréhension.

— Je ne sais pas ce que tu demandes, fit-il, et ma réponse ne t'apprendra rien non plus. Nous sommes de simples visiteurs, des amis.

Dans une parfaite mimique, l'indigène exécuta les mêmes gestes qu'Ariel, mais en même temps un large sourire illumina ses traits, découvrant des dents très blanches. Il se pencha vers un petit buisson, tira de son épaisseur une gourde de peau couverte de longs poils, la porta à sa bouche et, après en avoir essuyé le goulot, la tendit à Ariel. Sans hésiter, le pilote absorba une bonne rasade, retint une exclamation à demi étranglée.

— Ce doit être du vin, mais qu'il est âpre ! Ils ont sûrement mélangé les cailloux avec les grappes...

Astrid but à son tour, émit un petit soupir suivi d'un claquement de langue.

— L'abus des boissons synthétiques t'a gâté le goût, personnellement, je le trouve très... tonique. Ça fait du bien, après la longue marche.

Comme s'il eût compris, l'autochtone hocha vigoureusement la tête et son sourire se distendit encore. Tendant successivement le bras vers la montagne puis dans la direction du village, il posa une nouvelle question que son geste rendait plus facile à traduire.

— Oui, camarade, nous venons de là-haut et nous irons très volontiers faire la connaissance de tes compatriotes. Nous sommes descendus pour ça...

L'homme se retourna, poussa un appel strident qui fit accourir du fond du champ un

jeune garçon entièrement nu, dont Astrid ne
put s'empêcher d'admirer la beauté gracile et
vaguement équivoque. Sans quitter du regard
les hôtes imprévus, l'éphèbe écouta les instructions données par le paysan puis, saisissant un pan de la tunique de la jeune femme,
la tira pour lui faire comprendre qu'il allait
les conduire. Les Terriens levèrent le bras en
signe de remerciement et de salutation, se mirent en route derrière leur guide dont les pieds
nus trottaient allègrement sur le sol rocailleux.
Il parcoururent ainsi de conserve la plus grande partie de la distance qui les séparait encore
de la côte, mais quand l'entrée du village fut
en vue, le jeune garçon prit subitement son
élan, se mit à courir avec rapidité, disparut
entre les premières cabanes.

— Il va prévenir les notabilités de l'endroit
pour les préparer à recevoir des hôtes de marque.

— J'espère que ce n'est pas pour leur laisser
le temps de décider à quelle sauce nous serons
mangés ce soir ?

— Tu es complètement nul en anthropolo-
gie ! Les cannibales ne se trouvent que parmi
les chasseurs, pas chez les agriculteurs séden-
taires. La consommation des fruits de la terre
leur a fait perdre l'habitude de la chair
humaine.

— Sauf à l'occasion de certaines cérémonies rituelles. Tout dépend de l'angle sous lequel leur shaman ou leur grand prêtre nous
considérera. Des êtres venus de nulle part sont
peut-être une nourriture céleste envoyée par
les dieux...

Ils s'engagèrent entre des petites maisons cubiques construites en une sorte de pisé durci par le soleil, ce qui ne semblait diminuer en rien leur solidité et leur résistance aux intempéries. Chacune était entourée d'une cour délimitée par une murette de pierres sèches semblable à celles qui bordaient les chemins ou soutenaient les parcelles cultivées et à l'intérieur de chacune de ces cours, des poules, des cochons et des enfants en bas âge s'ébattaient dans la poussière. Mais aucun adulte n'apparaissait, ce qui provoqua chez Ariel un froncement de sourcils.

— Pourquoi semblent-ils s'être tous cachés à notre approche ? Serait-ce une marque de défiance ?

— Ou bien un rassemblement sur le lieu réservé à l'accueil. Ça me paraît plus probable.

Astrid avait raison. La vague rue sinueuse qu'ils suivaient s'élargit soudain pour déboucher sur une place approximativement circulaire aux deux tiers entourée par des maisons un peu plus hautes et plus grandes que celles qu'ils avaient vues jusqu'alors. Quant à la partie opposée aux habitations, elle était occupée par l'une des constructions blanches aperçues depuis l'arête du plateau et celle-là était bien en pierre, de gros blocs de calcaire équarris surperposés avec un certain art pour former un bâtiment rectangulaire relativement imposant ; une bonne dizaine de mètres de côté et cinq de hauteur jusqu'à la terrasse. Mais ce ne fut que par la suite que les astronautes purent attarder leur regard sur l'aspect architectural de l'ensemble : une immense clameur venait

de monter de la foule réunie sur le terre-plein.
Des cris joyeux et qui n'avaient rien d'hostile
ni de menaçant. Les astronautes s'arrêtèrent,
levant les bras pour répondre aux acclamations
et sourirent au jeune garçon qui venait de réapparaître et se tenait auprès d'eux, redressant
toute sa taille avec un air superbe de gravité et
de sérieux.

— Que sommes-nous supposés faire ? murmura Ariel. Leur serrer la main à tous ?

De nouveau, le mince adolescent saisit la
tunique d'Astrid, la tira en avant, en direction
de la maison blanche, tandis qu'aussitôt les
villageois s'écartaient de chaque côté pour leur
laisser le passage. Devant l'encadrement tra-
pézoïdal de la porte béante s'étendait une terrasse plane, dallée de grandes plaques du même marbre compact et, au milieu de cette terrasse, une table carrée formée d'un plateau de
madriers supportés par de lourds rondins. Debout, à deux pas de cette table, se dressait un
homme âgé enveloppé dans une longue robe
d'étoffe grise et, un peu en retrait, six jeunes
filles vêtues de tuniques de même teinte, trois
de chaque côté. Répondant à la pressante invite
de leur guide, les Terriens continuèrent à avancer jusqu'à poser les pieds sur les premières
dalles et, ne sachant quelle attitude prendre,
s'inclinèrent légèrement. Mais les personnages
du groupe s'étaient déjà animés : l'homme,
bras tendus, s'était profondément courbé et les
jeunes filles s'étaient prosternées jusqu'à terre.

— C'est ce que je craignais, chuchota Ariel.
On va nous attribuer une essence divine et
tout va être faussé !

Mais cette attitude de quasi-adoration religieuse ne dura pas. Le vieillard s'était redressé, venait vers eux et, souriant, posait les mains sur leurs épaules, les entraînant vers la table, leur désignait un banc placé tout du long. Prenant la main d'Astrid, il l'invita à s'asseoir au centre, plaça Ariel à sa droite, s'installa lui-même à gauche et aussitôt les jeunes filles s'activèrent gaiement, apportant des cruches et des gobelets de terre cuite, des galettes de pain noir, des plats remplis de viande, de poisson, de bouillie semblable à du gruau, de fruits, et le repas commença pour se dérouler tout entier dans cette très inhabituelle situation : dos tourné à la porte du bâtiment de pierre et face à la foule qui, sans jamais s'approcher ni se hasarder sur la terrasse, ne cessait de les contempler et de commenter entre eux leurs moindres gestes. Ils s'y accoutumèrent vite d'ailleurs et, malgré le manque de couteaux et de fourchettes, dévorèrent avec un appétit aiguisé par la longue et difficile descente. Les mets étaient riches en saveur et le vin beaucoup plus doux et parfumé que celui qui leur avait été offert au sortir de la forêt.

Pendant toute la durée de ce déjeuner-spectacle et malgré la différence totale des langages, la conversation entre les commensaux ne chôma pas. Non seulement les jeunes filles qui les entouraient jacassaient sans arrêt, mais leur hôte, après s'être présenté en se frappant la poitrine et en répétant à plusieurs reprises le vocable Anthéo, ne se privait pas de bavarder abondamment, s'adressant surtout à Ariel, plus rarement à Astrid et avec une intonation plus respectueuse. Se prenant au jeu, l'un et l'autre lui répondaient à chaque fois, sans bien entendu se soucier de ce que le bonhomme pouvait bien vouloir dire, puisque de toute façon ils ne se comprenaient pas mais, moitié par humour, moitié par souci de bienséance, ils jugeaient de leur devoir de lui donner la réplique. C'était un étrange dialogue de sourds, joyeusement animé par le pilote qui se livrait à toute une série de commentaires sur leur atterrissage, la descente de la montagne, les divers aspects du village et de sa population en accompagnant tout de gestes et de mimiques expressifs, tandis que l'autre écoutait avec une attention polie, soulignant chaque phrase de hochements de tête. Les Terriens auraient presque pu croire qu'il les entendait vraiment, tant il semblait marquer un vif intérêt à leurs propos et ils avaient laissé leurs transcepteurs ouverts pour que, là-haut, Paola puisse enregistrer la séance ; si plus tard les ordinateurs sémantiques parvenaient à déchiffrer l'idiome local, cette conversation représenterait certainement un excellent exemple de non-communication et pourrait servir de modèle pour les conférences des politiciens. Toutefois, soit par intuition, soit plus simplement par hasard, il arrivait assez souvent que des attitudes de réponse coïncident. Si par exemple Ariel commentait la qualité du vin, sans même penser à désigner de la main la cruche ou le gobelet, l'une des hôtesses ne manquait pas de saisir l'une pour remplir l'autre dans l'instant. Mais après tout, leur devoir n'était-il pas de veiller à ce que les convives puissent étancher leur

soif ? En tout cas, au cours de la période qui
suivit, il devint évident que les indigènes ne
possédaient aucun don télépathique, Astrid en
vint à conclure que le genre de vie d'une peuplade primitive, habituée à observer les moindres signes dans tout ce qui constituait son
milieu la rendait plus réceptive, plus proche
de la divination. La jeune femme ne se trom-
pait pas de beaucoup du reste, elle avait simplement négligé de tirer toutes les implica-
tions contenues dans cette hypothèse...

Enfin le repas se termina. Anthéo se leva et,
comme s'ils n'avaient attendu que ce signe,
tous les villageois se dispersèrent, la place se
vida. Seules demeurèrent là les jeunes filles,
s'empressant à faire le ménage, tandis que le
jeune garçon qui avait servi de guide réappa-
raissait en compagnie de trois adolescents plus
âgés, pour aider à réintégrer dans le bâtiment
la table et le banc. Replaçant les mains sur les
épaules de ses invités, le vieillard les entraîna
au travers de la porte, les amenant dans la
grande salle nue qui occupait la plus grande
partie de l'espace intérieur. Seulement alors,
les Terriens, quand leurs yeux se furent accou-
tumés à la différence de luminosité, réalisè-
rent la destination de la maison de pierre. La
statue qui en occupait le centre avait tous les
attributs d'une idole, le lieu était un temple
dont Anthéo était le prêtre.

Cette statue qu'ils examinèrent attentivement
n'était pas sculptée mais pétrie, modelée dans
une argile à laquelle on avait dû ajouter de la
chaux pour lui donner une teinte claire. La figure était féminine de toute évidence et même

avec une certaine exagération dans l'ampleur des fesses et des hanches. Une Vénus calli-pyge... Elle était représentée debout, un bras tendu en avant, l'autre retombant vers la ceinture comme pour maintenir en place l'étoffe qui lui entourait les reins et son visage souriant dardait des yeux faits de deux morceaux de pierre brillante. Bien entendu l'ensemble était très loin de pouvoir être considéré comme une œuvre d'art, au sens actuel du terme. A peine ébauchée, mal proportionnée, dépourvue de toute expression, elle méritait amplement la remarque péjorative émise par Ariel.

— Et dire que les musées qui ont survécu chez nous sont encombrés de pareilles horreurs...

L'idole s'élevait sur un petit piédestal autour duquel les offrandes rituelles étaient disposées, confirmant son caractère religieux. A leur tour, les jeunes filles démontrèrent leurs qualités de servantes-prêtresses du temple en multipliant les prosternations sous les regards indifférents de la divinité, puis elles s'écartèrent, et alors les astronautes assistèrent à un spectacle inattendu. Les adolescents étaient entrés, montaient sur la petite estrade, empoignaient la statue à bras-le-corps, la basculaient, la chargeaient péniblement sur leurs épaules. En moins d'une minute, la grande statue avait disparu.

Au bout de quelques instants les garçons revinrent porteurs de gros coussins de peau qu'ils se mirent en devoir d'entasser sur l'estrade jusqu'à former une sorte de siège sur

lequel ils disposèrent encore des fourrures
laineuses. Avec un profond salut, Anthéo se
retourna vers Astrid, lui prit la main, la mena
jusqu'à cet épais divan et, d'un geste sans
ambiguïté, l'invita à s'y asseoir. Fronçant ses
fins sourcils, elle hésita un instant, haussa les
épaules, obéit. Dès qu'elle fut installée, le nouvel aménagement se poursuivit, d'autres coussins apparurent de chaque côté, trois des jeunes filles s'accroupirent à sa droite, les trois
autres à sa gauche. On amena deux tables plus
petites que celles de la terrasse pour en dispo-
ser une devant Astrid, l'autre sur le même niveau mais un peu à l'écart. On ressortit les
cruches, les gobelets et les plateaux de nourriture et Ariel fut explicitement invité à aller
prendre place sur un siège confortable amé-
nagé devant la seconde table, où Anthéo le
rejoignit avec un sourire bienveillant. Pour
terminer, les trois jeunes gens revêtirent des
robes semblables à celles du prêtre mais plus
courtes, saisirent de longues lances de bois
aiguisé, allèrent se planter devant la porte
comme autant de farouches gardiens de la
nouvelle déesse descendue du ciel...

Ce soir-là, dans le poste central de *La Vagabonde*, le récepteur UHF s'anima à l'heure prévue pour la liaison.

— Allô, Paola, Eph ? Vous êtes là ?

— Bien sûr, Ariel, où veux-tu que nous
soyons ? Nous venons justement de passer les
enregistrements de la caméra. Cette première

prise de contact a l'air de se dérouler tout à fait bien. Ça continue ?

— Oui et non. D'un certain côté on pourrait même dire que ça va de mieux en mieux, mais je crains que nous ne soyons arrivés au point où se justifie le vieux dicton : « le mieux est l'ennemi du bien ». La situation est devenue... complexe.

— Dangereuse ?

— Ce n'est pas le mot. Il s'est simplement produit ce que je craignais et voulais éviter : les indigènes nous considèrent comme des divinités incarnées parmi eux pour leur apporter la félicité. Plus exactement c'est Astrid qu'ils ont élue à ce rang suprême. Il semble que personnellement je ne sois guère plus que son serviteur favori, ou à la rigueur un prince consort.

— Et ton orgueil masculin en souffre ? ironisa Paola.

— Tu n'y es pas du tout. Voici ce qui s'est passé. La grande maison blanche était un temple consacré à la déesse de l'Amour, de la Beauté ou de je ne sais quoi d'analogue, représentée par une statue d'argile, passablement informe d'ailleurs. Ils ont descendu l'idole de son piédestal et ils ont installé Astrid à sa place. Vous devriez la voir, trônant sur ses fourrures et entourée de ses jeunes prêtresses...

— Ça prouve qu'ils ont bon goût, intervint Ephraïm, il leur serait difficile de trouver mieux en matière d'incarnation de Vénus-Aphrodite. J'espère que les rites n'exigent pas qu'elle satisfasse à la lubricité de tous les hommes du village ? Je suis sûr que quelques expériences *in vivo* ne lui déplairaient pas outre mesure, mais s'ils sont plusieurs centaines, trop est trop.

— Je n'ai pas l'impression que ça doive aller jusque-là ; pour le moment elle est simplement l'objet de la tendre sollicitude et de l'adoration de la demi-douzaine de jeunes filles choisies par Anthéo pour la servir, mais on ne sait jamais. Le plus inquiétant dans l'immédiat est qu'on nous a donné clairement à comprendre que, puisqu'elle était venue, elle devait rester. Des sentinelles armées sont postées à la porte et sont visiblement chargées, non seulement de la protéger, mais aussi de la persuader de ne plus quitter ses adorateurs. Naturellement, quand nous voudrons vraiment partir, personne ne pourra nous arrêter ; même sans faire appel aux moyens du vaisseau, nous avons de quoi nous ouvrir un passage par la force, mais j'aimerais mieux ne pas en arriver là et trouver une autre solution. Vous vous rendez compte ce que cela signifierait pour ces pauvres types, qui sont par ailleurs si hospitaliers ? La divinité qu'ils révéraient et imploraient depuis toujours a daigné se matérialiser au milieu d'eux et puis, brusquement, elle devient cruelle, elle les repousse, elle les frappe et elle les abandonne définitivement ? Il y a de quoi traumatiser la race pour tous les siècles à venir !

— C'est effectivement un problème, rétorqua le maître technicien. Nous devrons trouver une solution qui vous rende la liberté sans trop décevoir vos nouveaux fidèles. Pour l'instant, vous êtes l'un et l'autre bien traités, n'est-ce pas ?

— Le vin est bon, la nourriture copieuse et les prêtresses séduisantes, si c'est cela que tu veux savoir. Mais je ne tiens pas à m'attarder sur cette archaïque planète perdue plus que nécessaire. Nous ne pouvons oublier que nous appartenons à la Flotte Spatiale et que la guerre continue à se dérouler quelque part dans la galaxie. Nous devons rejoindre la Base et reprendre nos activités de combattants. Où en sont les réparations ? Quand Paola pense-t-elle pouvoir déterminer nos coordonnées de position actuelle ?

— Eph a déjà fait le plus gros du travail, intervint la jeune navigatrice. Demain, *La Vagabonde* sera en principe en état de reprendre la route. Quant aux coordonnées que tu réclames, je les ai déjà obtenues et bien plus facilement que je ne pensais. Elles sont très intéressantes, Ariel chéri. Cependant je dois te signaler que pour ce qui est de repartir d'ici, il n'y a vraiment aucune urgence. Astrid et toi avez tout le loisir de goûter aux plaisirs réservés aux immortels et nous, de les partager éventuellement, s'il y a encore de la place dans le panthéon de la religion locale.

— Que veux-tu dire ?

— Tout bonnement qu'il est inutile de nous presser. Tu voulais rejoindre la Terre, non ? Hé bien, nous y sommes ! Bien que le cristal-mémoire de la programmation du retour d'urgence ait été partiellement effacé dans l'explosion du *Dirac*, ce qui subsistait de l'enregis-

trement a suffi pour nous replacer sur la bonne
sécante et nous avons bien atteint le but. A
part un léger détail : nous avons atterri cinq
bons millénaires *avant* l'époque où nous
l'avons quittée. Je suis toute disposée à aller
me présenter au directeur du Bureau des Opérations de notre escadre, mais ce digne officier ne viendra au monde que dans plus de
cinquante siècles, chéri...

CHAPITRE III

Il fallut à Ariel un bon quart de minute pour que le sens réel de cette incroyable révélation s'impose à lui — pareille chose était vraiment par trop énorme pour qu'un esprit cartésien puisse l'admettre sans renâcler. Curieusement, Astrid, elle, n'avait presque pas bronché sous le choc, elle n'était pas mathématicienne mais simplement biologiste et médecin, donc entraînée à faire passer l'observation d'un fait ou d'un symptôme avant la théorie, même si ceux-ci contredisaient celle-là ; les sciences de la vie ne se soumettent pas à des systèmes d'équations. Mais pour un cerveau bourré des abstractions transcendentales de la cosmo-physique pluri-dimensionnelle et habitué à considérer les chiffres comme des certitudes, il en allait tout autrement. S'il n'avait pas su de longue date que Paola était une fille sérieuse et incapable de plaisanter sur un sujet aussi grave, le pilote l'aurait vertement accusée de se payer sa tête.

Cependant la navigatrice n'avait pas attendu cette humaine réaction pour continuer.

— Ne t'imagine pas que je sois subitement devenue folle, Ariel. Ce que je viens de te dire est rigoureusement vrai. Dès que les divers télescopes ont été réparés et remis au point par Eph — ça ne lui a pas pris plus de deux heures — je me suis empressée de sonder la partie visible du ciel et j'ai immédiatement reconnu toutes les constellations familières. Il m'a suffi ensuite d'observer et de mesurer les variations angulaires des étoiles les plus proches par rapport à la carte « actuelle » que nous possédons, pour déterminer à quelle époque elles se trouvaient là où je les voyais maintenant et de recouper le résultat obtenu par une visée sur la Polaire qui a bel et bien rétrogradé d'un cinquième sur son cercle de précession. Naturellement, le chiffre de cinq mille ans que je t'indique n'est encore qu'approximatif, c'est une première estimation que je m'efforcerai de préciser davantage, mais l'erreur ne doit pas dépasser une cinquantaine d'années en plus ou en moins.

— C'est inconcevable ! Nous aurions fait un voyage dans le temps ? C'est une chose qui n'est jamais arrivée...

— Qu'en sais-tu ? Nombreuses sont les nefs qui ont été considérées comme perdues corps et biens dans l'espace. Peux-tu affirmer que certaines d'entre elles n'ont pas tout simplement été rejetées dans un lointain passé ? Elles ne sont pas revenues pour le raconter, pas plus que nous ne reviendrons nous-mêmes. Tu sais très bien que certaines légendes antiques sem-

blent faire allusion à la venue d'êtres extrapla-
nétaires, la Bible, les Védas hindous, les Co-
dex mayas par exemple, et il est fort possible
qu'il s'agisse en effet du souvenir du passage
de vaisseaux issus d'une autre civilisation galactique, mais peut-être dans le nombre y avait-
il des équipages qui étaient nos contemporains
à l'origine. Peu importe la fiction, notre propre
aventure est bien réelle.

— Comment pourrait-elle s'expliquer ?

— A ma connaissance, il existe au moins une
théorie admissible et dont tu devrais avoir
entendu parler, c'est celle des « nœuds rémanents ». Chaque sécante du continuum aboutit
au champ de gravitation d'un corps matériel
mais, quand celui-ci se déplace dans le cosmos,
on pourrait admettre qu'il laisse derrière lui
une trace, un sillage et que, par voie de consé-
quence, toutes les sécantes antérieures correspondant à ces positions successives continuent
d'exister. N'oublie pas que le continuum hyperspatial est intemporel, ce n'est que dans l'univers euclidien que la coordonnée chronolo-
gique est valable. Il y aurait donc tout un immense éventail de routes, conduisant toutes au
même objectif, mais dont chacune l'atteint à
un moment différent.

— Si c'était vrai, il n'y aurait pas un vaisseau sur un million pour arriver à bon port !
Ton éventail déterminerait une infinité de possibilités dont une seule serait la bonne, la pro-
babilité de suivre justement celle-là serait
pratiquement nulle. Or il me semble que nos
lignes spatiales fonctionnent assez bien...

— Parce que, à chaque fois, tu programmes

ton déplacement non seulement sur les coordonnées du but *mais aussi sur celles du départ.* Tu parcours donc *nécessairement* la sécante *actuelle,* mais dans notre cas il n'en allait plus du tout de même ; tous les circuits de notre maître ordinateur étaient coupés dès l'instant de l'immersion. Nous sommes demeurés pendant un temps indéterminé en dérive « morte » et nous ignorons totalement où nous étions quand Eph a rétabli la propulsion. Si tu ajoutes à cela le fait que la programmation de destination était partiellement effacée et que seuls subsistaient les éléments spatiaux mais plus de facteur temporel, ce qui s'est passé était pratiquement inévitable. Au fond nous avons eu de la veine de nous être retrouvés sur la Terre et non sur une autre planète moins habitable ; de la veine aussi qu'il n'y ait que cinquante siècles de décalage ; tu nous vois atterrir en plein Jurassique au milieu d'un troupeau de dinosaures !

— D'accord, c'est une consolation... Mais si maintenant tu détermines exactement la date à laquelle nous nous trouvons, en te basant sur les conjonctions des planètes extérieures Saturne, Neptune, Uranus, Pluton et en fignolant jusqu'aux lunaisons, nous aurons à nouveau des coordonnées et nous pourrons retrouver la vraie sécante ?

— Tu t'imagines que ce n'est pas la première chose à laquelle j'ai songé ? C'est complètement hors de question, car cette sécante est dans le futur, donc elle n'existe pas encore. L'éventail que j'ai évoqué à titre d'image est constitué par l'ensemble des positions antérieures de notre soleil, celles qu'il occupera dans l'avenir n'ont évidemment pas encore pu créer de nœuds rémanents. Tu as déjà vu un sillage *en avant* d'un bateau ? Si nous passions maintenant dans le continuum, le mieux qui pourrait nous arriver serait de revenir ici au même au moment que celui où nous serions partis, mais ce serait plus probablement encore en arrière, et à quoi bon ? A moins que tu ne veuilles étudier la préhistoire.

— Mais enfin il doit bien y avoir une solution ! Nous ne pouvons accepter de finir nos jours dans le Néolithique !

— Il n'est pas impossible qu'il y en ait une, seulement il nous faudra beaucoup de temps pour la découvrir en admettant que nous y parvenions. C'est bien pourquoi je t'ai dit qu'il était inutile de nous presser et qu'Astrid avait tout loisir d'apprécier les charmes de son statut divin. Pour l'instant nous nous occuperons d'abord de vous rendre la liberté sans bousculer la religion locale ni vous faire déchoir de votre rang — je crois qu'Ephraïm a déjà un embryon d'idée à ce sujet — après nous aviserons tranquillement.

— La sagesse parle par ta bouche, jeune fille... J'insisterai simplement pour que vous ne nous abandonniez pas trop longtemps dans notre édénique réclusion. Au fait, as-tu déterminé dans quelle région du globe nous nous sommes posés ?

— Grâce à une hauteur sur la Polaire et une autre sur le soleil au méridien, sans oublier les corrections correspondant à l'époque. Nous

sommes en pleine mer Egée et plus précisément sur l'île de Délos.

— Et en pleine antiquité grecque aussi, par
conséquent. Nous aurions pu tomber plus mal
et je regrette de ne pas avoir étudié les langues
mortes dans ma prime jeunesse ; il est vrai que
ça ne nous aiderait pas beaucoup, il faudra
du temps pour que ces vieux dialectes barbares
deviennent la belle langue de Périclès...

La séquestration du pilote et de sa camarade devait durer encore cinq jours et cinq
nuits. Cependant, une fois surmonté le choc
subi en apprenant qu'ils étaient rejetés dans
un lointain passé, ils ne furent pas longs à
s'adapter à leur nouveau milieu. A part la liberté d'aller et venir, tout concourait à rendre
leur existence non seulement supportable mais
aussi pleine de multiples agréments : l'hospitalité intégrale, les innombrables prévenances
dont ils étaient entourés, l'absence totale de
toute hypocrisie et de tout complexe dans les
mœurs indigènes. Tout comme dans une autre
île des environs, et qui serait connue plus tard
sous le nom de Lesbos, aucun interdit moral
ne limitait la satisfaction des sens et les six
jeunes prêtresses partageaient également leurs
expertes dévotions et leur science voluptueuse
entre la belle déesse et son compagnon. Ces
jeux ne constituaient d'ailleurs nullement une
obligation rituelle et ne se déroulaient qu'à
partir du soir, quand la porte fermée isolait
le temple du reste des vivants et que nul, pas
même Anthéo ni ses gardes, n'y avaient plus

accès. Ce n'étaient au fond que d'agréables in-
termèdes au même titre que les libations de
vin parfumé, les chants ou les danses, une
façon toute naturelle de passer le temps et
qui était simplement particulièrement indiquée en l'occurrence, puisqu'Astrid figurait la
déesse de l'Amour — il était donc naturel que
le plaisir physique sous toutes ses formes lui
fût dédié, ainsi qu'à son compagnon, et certes
ni l'un ni l'autre n'y trouvaient à redire. Les
préceptes dogmatiques et les tabous frappant
la sexualité n'appartiennent qu'aux stades in-
termédiaires des civilisations humaines, les so-
ciétés primitives les ignorent encore et celles
qui ont atteint le niveau supérieur de l'évolution s'en sont affranchies. A cinquante siècles de distance, les deux races se retrouvaient
donc sur le même plan, au-delà du bien et du
mal. En outre, pour les deux voyageurs de l'espace, les joies éprouvées se doublaient du con-
traste avec tout ce qui avait précédé : les
longues missions au milieu des dangers multiples et incessants d'une guerre interstellaire,
l'explosion du *Dirac* à laquelle ils n'avaient
échappé que par miracle, l'angoissante dérive
dans le néant, l'atterrissage qui avait failli de
très peu se terminer en catastrophe. Maintenant, tout cela était infiniment loin, aucun missile ne pouvait plus les volatiliser dans son
infernale Apocalypse. Le conflit qui déchirait
tout un bras de la galaxie s'était aboli dans
les abîmes du Temps, ils pouvaient vivre. Sans
doute ils avaient déserté le combat, abandonné
leurs frères d'armes, mais ils ne pouvaient en
éprouver nul remords, rien de ce qui était arri-

vé n'était leur faute et de plus il leur était impossible de revenir et de reprendre leur poste. Pour eux, le monde recommençait dans une nouvelle genèse, ils avaient échappé d'un cheveu — d'un centième de seconde — à la faux de la Mort dont ils croyaient encore entendre l'atroce sifflement. Ils avaient traversé l'angoisse de la nuit pour atteindre une nouvelle naissance dans un monde de lumière et de paix. Le cauchemar était fini, ils existaient mais tout en eux avait besoin de s'en assurer, depuis les chauds battements du sang dans leurs artères jusqu'à la saveur du vin et l'exaltation de l'ivresse, depuis les déferlements de la sensualité jusqu'aux tièdes torpeurs de l'oubli.

Cependant cette réaction physique semblable à celle du condamné subitement tiré de son cachot ne les submergeait pas encore entièrement. Le hasard d'un déplacement temporel leur offrait une occasion unique d'étudier le lointain passé de leur propre race et ils ne voulaient pas le manquer, même si leur rapport d'exploration ne devait servir à personne. Pour cela, le premier obstacle — outre celui de leur liberté de mouvements qu'ils finiraient bien par retrouver d'une façon ou d'une autre — était celui de la communication avec les indigènes : le langage. L'apprentissage sera relativement long mais, dès le départ, ils possédaient un important atout : leurs cerveaux de supercivilisés entraînés à assimiler les connaissances les plus diverses et à les fixer sans difficulté dans la mémoire. De plus ils savaient que l'idiome local était un précurseur de la

langue grecque et donc renfermait un certain
nombre de racines essentielles qui formeraient
plus tard la base du vocabulaire athénien. Or,
de par sa profession, Astrid connaissait la plupart de ces racines, le jargon médical en dérive
presque entièrement. Elles avaient évidemment
subi de nombreuses altérations au cours des
siècles et la prononciation surtout était profondément différente, mais la jeune femme fi-
nissait par les retrouver, le décryptement en
était grandement facilité. Des embryons de
phrase s'ébauchaient et les jeunes prêtresses,
enthousiasmées par ce jeu, exultaient de joie
chaque fois que leurs divins élèves maîtrisaient
un nouveau mot. Le premier nom qu'ils retin-
rent fut celui du village : Dodonè, et ils surent
qu'ils étaient devenus dodoniens...

Vint enfin l'aube du sixième jour.

L'aurore venait à peine d'éteindre les étoiles
et d'allumer une indécise roseur au sommet
de la montagne quand, soudain, des appels et
des exclamations montèrent de la place centrale ; une rumeur sourde s'éleva, s'amplifia
bientôt comme une marée montante. Dans
le temple, tout était encore obscur et endormi,
mais cette animation inaccoutumée ne tarda
pas à réveiller ses hôtes qui se levèrent promp-
tement. Pour Astrid et Ariel constamment te-
nus au courant par leur régulière liaison avec
le vaisseau, cette intempestive manifestation
était prévisible et ils se regardèrent en souriant tandis que les prêtresses inquiètes et
déconcertées se pressaient autour d'eux, jacas-

sant sans arrêt et répétant des phrases où revenait fréquemment le mot « poliè ».

— Elles craignent une guerre, traduisit la jeune femme. Il y a donc quelque part des tribus belliqueuses.

— Les conflits humains sont de tous les temps, que veux-tu ? Mais j'espère bien que cette fois il n'y aura pas de bagarre.

Quelques instants plus tard, le lourd madrier qui bloquait de l'extérieur la porte de chêne fut retiré, le battant s'ouvrit et sur le seuil apparut Ephraïm, vêtu lui aussi de cette même tunique légère qui, sur son corps massif et musclé, lui donnait l'aspect étrange d'un cyclope déguisé en éphèbe.

— Hello ! claironna-t-il d'une voix puissante. Vous avez bien dormi ? Venez donc admirer mon œuvre !

Derrière lui, nimbée de la première flèche du soleil, se tenait Paola, souriante, et un peu plus loin, Anthéo immobile, drapé dans sa longue robe. Les deux astronautes franchirent l'encadrement, s'arrêtèrent côte à côte pour contempler le spectacle. Tout autour de la terrasse, la foule était revenue entière, aussi nombreuse que lors de la première réception, pressée en une seule masse, levant les bras, poussant des cris délirants, et tous les regards étaient fixés sur un seul point : sur la statue éblouissante de blancheur posée au centre du dallage.

Taillée et polie avec un art parfait, c'était Astrid elle-même qui se dressait là, debout, un bras levé dans un geste bénisseur, l'autre baissé le long de son corps et retenant de la

main les plis de l'étoffe sculptée autour de ses
hanches. Le torse était nu, les seins magni-
fiques tendaient leurs globes orgueilleux, le fin
visage légèrement penché regardait de ses
yeux immobiles la troupe de ses adorateurs
et semblait accueillir avec un imperceptible
sourire la ferveur de leurs vibrants hommages.

— Honnêtement, fit le maître technicien,
c'est en vérité Paola qui a eu la première idée,
je n'ai fait que la développer et la réaliser.
La déesse de ce peuple était à l'origine une
statue, sa vivante matérialisation en la personne d'Astrid les avait enthousiasmés mais il
me semble qu'ils devraient maintenant se contenter d'une image qui lui ressemble vraiment.
Toute cette montagne est en très beau marbre,
comme tu peux le voir. J'ai donc choisi un bloc
de bonne dimension et je l'ai sculpté. Ce n'était
pas trop difficile, bien que je n'aie rien d'un
artiste, je me suis tout bonnement servi en
guise de ciseau d'un petit démocularisateur
portatif que j'avais dans mon stock et qui était
automatiquement guidé par le computeur programmé à partir d'un cliché tridi d'Astrid, une
photo que toi-même avais prise un jour sur la
plage de **Saint-Tropez** du **Centaure**, tu te souviens ? Evidemment, là-bas, elle était nue et
j'ai jugé plus décent de lui rajouter une jupe,
avec pour résultat que j'ai dû improviser de
mon propre chef et je lui ai fait un bassin un
un peu trop large.

— Ça ne fait rien, mon vieux ; après tout,
c'était aussi la déesse de la Fécondité. Vous
l'avez naturellement descendue à l'aide du module ?

— Suspendue au-dessous et en plus retenue avec un harnais antigravifique que jl lui avais fixé à la ceinture par sécurité. Nous l'avons posée ici pendant qu'il faisait encore nuit puis nous avons renvoyé la chaloupe en automatique ; on pourra toujours la rappeler quand on voudra. Après, nous avons patiemment attendu que le premier pêcheur sorte de sa cabane, l'aperçoive et se précipite pour réveiller tout le monde. Mais savoir maintenant s'ils vont l'accepter ou s'il va falloir les y obliger par quelque démonstration de convaincante supériorité...

Il ne fut pas besoin d'y recourir, déjà Anthéo venait de se prosterner à plusieurs reprises devant l'effigie, imité par les prêtresses accourues puis par la foule qui, d'un seul mouvement, plongea à plat ventre dans la poussière. Après quoi, le grand prêtre donna ses ordres d'une voix autoritaire, des hommes et des adolescents se précipitèrent et tandis que les uns libéraient le piédestal intérieur de sa pile de coussins et de fourrures, les autres saisissaient le bloc de marbre sculpté, l'inclinaient sur leurs épaules, franchissaient lentement la porte, courbés sous le lourd fardeau.

— Doucement ! Doucement ! clama Ephraïm. Pourvu qu'elle ne leur échappe pas ou qu'ils n'accrochent pas les piliers... Les bras sont minces et fragiles, ils se casseraient au moindre choc un peu fort, tu te rends compte de quoi elle aurait l'air si cela arrivait ? Une Vénus manchote...

CHAPITRE IV

Après la grande fête cérémonielle qui suivit l'installation de la statue dans le temple et dura jusqu'au soir, la vie reprit dans le village son rythme habituel, la seule différence étant que la population avait augmenté de quatre unités. Le prodige de la figure sculptée miraculeusement apparuc sur le parvis avait pleinement joué, Anthéo reportait les rites du culte sur l'idole de marbre et laissait désormais ses hôtes libres d'aller et venir à leur guise sans toutefois que leurs privilèges de déités venues des cieux soient en rien diminués. Astrid demeurait la déesse suprême, elle avait seulement maintenant trois compagnons de la même essence au lieu d'un seul. Mais le respect et les attentions dont ils étaient entourés au cours de leurs mouvements n'étaient jamais obséquieux ni même encombrants. Pour cette race primitive comme pour toute autre au même stade, le commerce avec les dieux paraissait chose toute naturelle, leur présence était un grand honneur pour tous mais somme toute ils étaient physiquement semblables à eux ; comme eux ils buvaient, mangeaient, riaient, faisaient l'amour, dormaient ainsi que tout un chacun, ils étaient simplement des êtres doués de pouvoir supérieur et non de terrifiantes matérialisations d'un inconcevable au-delà. Si la toute-puissance dont ils émanaient avait créé l'homme à leur image, cela ne pouvait avoir qu'une seule signification : ils étaient le symbole vivant de ce qu'eux-mêmes deviendraient un jour au travers de la chaîne des réincarnations ; ils étaient leurs frères célestes apparus pour les guider. Même pas des entités parfaites d'ailleurs, sinon pourquoi auraient-ils tant de peine à apprendre leur langage et commettaient-ils si souvent des fautes de syntaxe ?

Le temple leur avait tout naturellement été attribué comme logis, les jeunes prêtresses continuaient à jouer leur rôle de servantes attentives et prêtes à satisfaire leurs moindres désirs — ce qu'Ephraïm apprécia tout particulièrement et avec une telle inlassable vigueur qu'il devint vite leur favori. La sage Paola se montra au début plus réservée mais cela ne dura guère, elle ne tarda pas à s'abandonner à l'ambiance de franche liberté sans complexe qui régnait. Du reste, à bord de tous les vaisseaux de l'espace, l'existence obéissait un peu aux mêmes principes : les équipages étaient mixtes pour d'évidentes raisons d'équilibre neuro-glandulaire, mais le développement de sentiments exclusifs aurait été dangereux pour

l'harmonie de l'ensemble ; les notions d'appartenance ou de jalousie étaient exclues. Sur *La
Vagabonde,* il n'y avait pas deux couples mais
une « tétrade ». Et rien ne s'opposait à ce
qu'elle s'élargisse maintenant.

Toutefois la première soirée fut d'abord con-
sacrée à une longue discussion concernant la
situation dans laquelle ils se trouvaient. La
navigatrice répéta et développa les conclusions mathématiques auxquelles elle était arrivée : la confirmation de l'hypothèse de sécante
rémanente et l'impossibilité théorique d'un
parcours inverse. Ils avaient effectué un retour
dans le passé, par conséquent leur propre
époque avait cessé d'exister ou, plus exactement, n'existait pas encore. Aucun chemin ne
pouvait donc conduire vers un nœud d'inter-
gravitation qui ne se formerait que beaucoup
plus tard. Il fallait se contenter de la joie
bien réelle d'être toujours vivant et s'adapter
définitivement au nouveau milieu. Après tout,
il n'était pas si désagréable et en tout cas on
n'y risquait plus sa peau à chaque instant dans
cette stupide guerre interstellaire. Bien sûr,
en ce qui concernait la structure de l'hyperespace il y avait un tas d'autres théories incontrôlables, on pourrait les étudier, y trouver
peut-être un espoir, mais à quoi bon se presser,
se lancer prématurément dans une hasardeuse
tentative dont le résultat aurait toute chance
d'être catastrophique ? Les circonstances voulaient que la mission d'explorateurs prévue en
pareil cas par le règlement devienne leur lot,
autant s'y consacrer de bon cœur. On étudierait
le monde de l'antiquité et si on s'en lassait,

on pourrait même s'amuser à partir à la recherche d'autres civilisations sur d'autres planètes, à condition de bien programmer les voyages pour ne pas faire encore une fois un saut malencontreux.

Pour l'instant, le premier sujet d'étude qui s'offrait à eux était évidemment Dodonè, ce microcosme égéen qui les avait accueillis et qui acceptait leur intégration — peut-être y avait-il ailleurs des bourgades et des tribus plus avancées, mais celle-ci fournirait un premier chapitre qui servirait de base et d'élément de comparaison par la suite. Du point de vue éthologique, le niveau était facile à dater tant par les ressources que par l'outillage. Les premières étaient constituées par l'agriculture, la pêche, l'élevage et un peu de chasse ; le gibier était rare sur l'île et les indigènes avaient eu l'intelligence de domestiquer porcs et chèvres sauvages plutôt que de s'épuiser à leur courir après. Quant aux végétaux comestibles, il n'était pas étonnant que les astronautes les eussent reconnus du premier coup, puisqu'ils étaient purement terriens. Toutefois ils étaient encore loin de présenter la diversité et le rendement que des siècles de sélection, de croisement et d'hybridation leur donneraient dans le futur ; les délices gastronomiques étaient assez relatives mais valaient bien les aliments synthétiques du vaisseau.

Sur le plan matériel, la civilisation sortait à peine de l'âge de la pierre polie et celle-ci était encore très employée, en particulier pour les haches, les grattoirs et les pioches, cependant les arêtes de poisson aiguisées jouaient un

3

grand rôle : hameçons, pointes de flèches ou
de lances, couteaux, scies et bien d'autres usa-
ges. Le métal aussi était apparu sous l'unique
forme du cuivre aisément obtenu par grillage
des pyrites, toutefois sa trop grande malléabi-
lité restreignait son emploi, il servait surtout
à faire des bijoux dont les femmes et les notables aimaient à se parer aux jours de fête. Pour
la fabrication des vêtements il y avait le cuir
des caprins et des porcins servant à confec-
tionner sandales et ceintures, les étoffes tissées
sur des métiers rudimentaires à partir de plantes textiles : le chanvre, une variété de sisal
et même un peu de lin ; les poils de chèvre
et d'âne donnaient aussi par battage une sorte
de feutre grossier parfaitement imperméable.
Enfin les ustensiles ménagers étaient creusés
ou façonnés en pierre, en bois pour les mor-
tiers, en argile cuite et souvent décorés au
noir animal et à l'ocre rouge pour les mar-
mites, les pots et la vaisselle. Malgré l'indiscutable habileté manuelle des artisans, toutes
ces poteries étaient encore très primitives ; il
y avait si peu de temps que leurs créateurs
étaient passés du simple séchage au soleil au
durcissement par le feu que, pour un seul réci-
pient à peu près convenable, une demi-douzaine
d'autres n'étaient bons qu'à jeter ; ou bien
leurs parois trop minces éclataient, ou bien,
trop épaisses, elles se déformaient et se tassaient en blocs inutilisables.

Ce fut dans ce domaine que Paola effectua
la première intervention sur la technique em-
bryonnaire des autochtones. Pendant ses années universitaires et à titre de délassement,

elle s'était intéressée à l'art de la céramique et y avait même atteint un certain succès, s'amusant à réaliser des objets décoratifs dont elle encombrait sa chambre et qu'elle distribuait généreusement autour d'elle. A l'aide de piles de briques qu'on s'empressa de lui fournir, elle construisit un four à deux étages, rassembla les meilleurs potiers du village, leur enseigna à conduire convenablement une cuisson en contrôlant la température par le moyen de petites pyramides-témoin. Les artisans furent littéralement enthousiasmés par cette révélation du progrès et acquirent très vite une étonnante virtuosité.

Cet apport était en réalité infime, une simple amélioration qui n'aurait pas tardé à apparaître d'elle-même et qui n'entraînait aucune déviation de l'évolution normale. Mais peu après, ce problème de non-intervention se posa d'une façon nettement plus caractéristique et ce fut Ephraïm qui le souleva un soir.

— Tu as remarqué, fit-il en s'adressant à Ariel, que les Dodoniens ne connaissent pas encore d'autre métal que le cuivre et qu'ils ne s'en servent que pour en fabriquer des colifichets ? Ils pourraient en faire un bien meilleur usage en le rendant plus dur et propre à leur donner de véritables outils et même des armes.

— Tu veux parler du bronze ?

— Evidemment. En me promenant le long du rivage, j'ai découvert à moins de deux kilomètres d'ici un riche gisement de cassitérite, le minerai de l'étain. L'alliage est très facile à réaliser, je connais d'ailleurs les proportions et je leur montrerai comment on le coule et le façonne, ce serait pour eux un grand pas en avant. Seulement...

— Seulement ce serait pour eux une découverte qui risque de venir avant son heure, n'est-ce pas ? Nous leur donnerions ainsi une supériorité considérable sur leur contemporains et nous pouvons prévoir ce qui en résulterait dans l'avenir. Imagine, par exemple, qu'ils s'en servent pour conquérir d'autres territoires et devenir une race dominante alors que c'est une autre, Sumériens, Phéniciens ou je ne sais qui — je regrette aujourd'hui de ne pas m'être intéressé davantage autrefois à l'histoire des civilisations — qui doit devenir le foyer de l'unité méditerranéenne. Il ne faut pas oublier que ces peuplades sont nos propres ancêtres et que si nous modifions trop profondément leurs rapports et leur devenir, c'est le monde futur, celui où nous sommes nés, qui risquera d'être changé. Je sais bien que ce n'est pas un paradoxe, mais...

— Je crois que tu pousses trop loin le scrupule, chéri, intervint Astrid. Quand nous sommes nés, notre civilisation était telle que nous l'avons connue ; il est impossible qu'elle soit différente lorsqu'elle sera de nouveau, sinon nous-mêmes serions également différents. Il ne faut pas oublier qu'elle existe toujours, c'est uniquement nous qui l'avons quittée pour remonter dans le passé ; par rapport à nos vrais contemporains, nous avons seulement effectué un voyage qui nous a conduits à vivre cinquante siècles en arrière et peut-être à y mourir. Ce que nous avons pu faire dans cette période de notre existence individuelle n'a en rien modifié le milieu qui était le nôtre au moment où les torpilles schlganiennes ont frappé le *Dirac*. C'est un fait indiscutable et les paradoxes ne sont que des jeux de l'esprit.

La conscience soulagée, le maître technicien se mit à l'œuvre et, lorsqu'il retira du brasier ses premières lames de couteau, les forgea, les trempa et les affûta, la joie des autochtones ne connut plus de bornes. Ils débordaient de gratitude et ne savaient comment l'exprimer, mais ce merveilleux don ne les stupéfiait aucunement et ne les étonnait même pas. Les dieux savent tout et rien ne leur est impossible...

Un peu plus de deux mois s'écoulèrent ainsi dans ce qui, malgré le double travail d'initiation au langage et de collecte des documents, n'était au fond que paresseuse béatitude. De temps à autre ils remontaient nuitamment au vaisseau pour y retrouver pendant quelques heures le cadre et le confort de leur passé, mais cela leur arrivait de moins en moins souvent ; sans bien s'en rendre compte ils s'intégraient chaque jour davantage à leur nouveau milieu. Bientôt il n'y eut plus qu'Ephraïm pour rendre régulièrement visite à *La Vagabonde* afin de fignoler les dernières réparations et s'occuper de la maintenance ; il demeurait essentiel que la nef soit prête à reprendre sa route à n'importe quel moment. Mais pour l'instant rien ne pressait, l'équipe continuait à échafauder des projets d'exploration étendue à toutes les surfaces habitées

de la planète sans se décider à les entreprendre. Puisqu'ils étaient condamnés à passer
les quelques douzaines de décades qui leur
restaient à vivre dans le monde antique, ils
avaient devant eux plus de temps qu'il n'en fallait pour mener à bien une étude approfondie.
De toute façon, après le nombre de missions
qu'ils avaient accomplies pendant la guerre
interstellaire, ils avaient bien droit à un congé
de détente de longue durée...

— Nous sommes pourtant finalement repartis quelque part dans le Cosmos, fit Astrid,
puisque les archéologues de notre époque
n'ont jamais retrouvé nulle part les restes de
notre nef, même sur le mont Ararat.

— Tu commets un anachronisme, corrigea
sérieusement Paola. Le déluge historique a eu
lieu une dizaine de millénaires avant notre arrivée. Il a été causé par l'impact d'un grand
météore en plein sur ce continent de l'Atlan-
tide dont notre île n'est que l'un des vestiges
qui ont survécu à l'engloutissement (1).

— Il est évident que notre vaisseau n'a pas
terminé sa carrière sur la Terre, à moins qu'il
n'ait été s'ensevelir dans les glaces de l'Antarc-
tique. Un jour viendra sans doute où nous
reprendrons la route des étoiles à la recherche
de paysages différents et j'imagine la tête que
feront nos camarades du Service Cosmodé-
sique le jour où ils découvriront sur une pla-

---

(1) *Voir « Tourbillon temporel », même
auteur, même collection.*

nète inconnue l'épave de *La Vagabonde* corro-
dée par les siècles.

— Voilà une excellente idée ! s'écria Astrid.
Nous avons l'équipement nécessaire pour nous
mettre en état d'animation suspendue et attendre qu'on vienne nous réveiller ! Plus besoin
de chercher une inexistante sécante vers l'avenir, un long sommeil sans rêve suffira et nous
retrouverons notre monde pacifié, puisque
l'expansion spatiale ne reprendra que lorsque
la guerre sera terminée.

— Et alors, sourit la navigatrice, de deux
choses l'une. Ou bien l'Imperium de Schlgan
aura été victorieux et nous serons internés et
jugés comme criminels de guerre, ou bien ce
sera notre Fédération et nous serons également
passibles du tribunal en tant que déserteurs.

— Pas besoin de se faire de souci à ce sujet,
fit paisiblement Ephraïm. Même avec leurs
équipements d'auto-entretien, nos générateurs
cesseront de fonctionner d'ici à trois siècles,
quatre tout au plus et on ne trouvera plus que
des squelettes dans tes armoires d'hibernation.
Mieux vaut chercher autre chose...

Toutes ces rêveries ne menaient en effet à
rien et petit à petit le désir de repartir dans
l'inconnu s'estompait ou plutôt reculait ; il
y avait encore tant à faire pour améliorer le
sort des Dodoniens, par l'apport de multiples
détails, soigneusement étudiés pour ne pas risquer d'empiéter sur le rythme normal de l'évolution. Les petites barques de pêche, par exemple, ce n'étaient que de minuscules esquifs
presque plats, des radeaux munis de vagues
bordés sans étrave ni poupe, péniblement mus

à l'aide de lourdes rames et incapables de s'éloigner à plus de deux encablures et seulement quand la mer était calme. On pouvait y ajouter une poutre servant de quille, fixer à l'arrière une planche mobile en guise de gouvernail, rendre orientable la petite voile de cuir — les Phéniciens y avaient déjà certainement songé. Eux ou d'autres. En tout cas ce fut ce problème de la navigation maritime qui, d'une façon tout à fait imprévue, vint modifier le cours des événements.

Les quatre compagnons avaient regagné le temple en fin d'après-midi et bavardaient tranquillement dans l'attente du repas lorsqu'un jeune garçon, l'éphèbe qui avait servi de guide à Ariel et Astrid le premier jour, apparut en courant, tout essoufflé. Des paroles hachées qu'il prononça et que les prêtresses répétèrent d'une voix bouleversée, ils comprirent qu'un grand danger menaçait Dodonè et que ce danger venait de la mer. Avec force gestes, l'adolescent les pressait de le suivre et, sans s'attarder à le questionner davantage, ils se précipitèrent sur ses pas. Arrivés à l'extrémité de la petite pointe rocheuse protégeant le port, ils aperçurent d'abord Anthéo, entouré d'un groupe de villageois en proie à une agitation et, suivant les regards du grand prêtre, distinguèrent à l'horizon toute une série de petits points noirs. Des embarcations, au nombre d'au moins une cinquantaine, et c'était bien la première fois depuis leur arrivée sur l'île que des bateaux se montraient au large sur cette mer perpétuellement vide.

— Qui sont ces marins ? demanda Astrid à Anthéo.

— Kaka, mauvais, mauvais ! répondit le prêtre en fronçant les sourcils.

Dans les explications qu'il fournit, la jeune femme et ses camarades parvinrent rapidement à saisir l'essentiel : il s'agissait d'une peuplade de pirates dont ils entendaient pour la première fois le nom aux consonnances barbares : quelque chose comme Tarkaguis, et qui semblaient jouir d'une très mauvaise réputation de pillards sanguinaires. Il était très rare qu'ils s'aventurent aussi loin dans l'archipel, leur dernière apparition remontait à de nombreuses années mais Anthéo alors tout jeune s'en souvenait parfaitement. Ils avaient massacré sans pitié tous ceux qui n'avaient pu s'enfuir à temps et qui avaient tenté de résister — lui-même n'avait dû son salut qu'à sa fuite éperdue dans la montagne — ils avaient pillé et incendié le village puis étaient repartis en emmenant avec eux les jeunes femmes dont ils avaient pu s'emparer. Beaucoup de temps s'était écoulé avant que tout soit reconstruit et que la vie recommence et maintenant ils revenaient !...

— Si tu ne nous protèges pas, déesse bien-aimée, nous n'avons plus qu'à nous cacher à nouveau dans les rochers et attendre impuissants que Dodonè soit mise à sac et nos maisons et nos récoltes livrées aux flammes. Ce serait folie de chercher à les combattre, leurs arcs tirent plus loin que les nôtres, leurs lances sont plus longues et plus aiguës et leur cruauté

est sans égale. Je t'en supplie, ô Reine des
Cieux, viens à notre secours !

Astrid sourit, regarda Ariel qui fit un pas en
avant.

— Vous êtes, vous tous, sous notre protection, affirma-t-il gravement dans son jargon
où les vocables indigènes se mélangeaient
désastreusement à ceux de sa propre langue,
mais que pourtant le prêtre paraissait comprendre sans effort. Penses-tu qu'ils tenteront
de débarquer dès ce soir ?

— Non, les courants ne sont pas favorables
à cette heure et il y a près de la côte des écueils
dangereux que la nuit leur cacherait. Ils atten-
dront l'aube et le vent de mer. Dois-je donner
l'ordre à la tribu de se disperser au sommet
des crêtes en emportant ses biens les plus précieux ? Mais comment faire pour la statue sacrée ?

— Non, répondit le pilote, que chacun rentre
chez soi sans inquiétude en laissant seulement
sur le rivage des guetteurs pour donner l'alerte
si les Tarkaguis tentaient malgré tout un débarquement de nuit. Ensuite, quand ils viendront, nous serons là.

— Ainsi, fit Paola lorsqu'ils furent de nouveau seuls, tu as décidé d'intervenir pour le
salut de nos hôtes ? Mais tu vas être obligé
d'utiliser nos armes modernes et c'est justement le genre d'action que tu réprouves en
tant que manifestation supranormale dangereuse pour le devenir de l'évolution.

— Les légendes sont pleines de combat héroïques entre les dieux et les hommes méchants. Combien de fois Jéhovah en personne n'a-t-il pas volé au secours d'Israël ? Nous réduirons notre contre-offensive au strict minimum, juste ce qu'il faut pour dissuader ces Schlganiens locaux de s'attaquer à notre île et ça ne fera qu'une anecdote de plus dans les récits des vieillards. Eph, tu t'occuperas de la préparation ?

Quand la nuit fut tombée, le maître technicien s'éloigna du village pour rappeler la chaloupe antigravifique et, une heure plus tard, revint prendre sa place à la table où ses compagnons s'attardaient autour d'une grande cruche de vin doux.

— J'ai effectué une reconnaissance à la verticale pour étudier le dispositif ennemi, fit-il après s'être octroyé une large rasade. Les images étaient remarquablement nettes sur l'écran de vision nocturne et j'ai dénombré cinquante-quatre barques portant chacune une vingtaine de pirates. Ce sont des embarcations bien mieux construites que celles de nos amis, solidement membrées et à demi pontées, nous avions raison en supposant que certaines civilisations ont déjà progressé davantage que celle de ces insulaires perdus loin des côtes. Raison aussi au sujet du bronze, ils ont des glaives, des boucliers, des javelots et des lances où ce genre de métal est employé. Pour ce qui est des Tarkaguis eux-mêmes, ils sont plutôt petits avec la peau brune et, à première vue, ne me paraissent pas le type d'hommes au milieu desquels j'aimerais vivre. Mais on dit qu'il ne faut pas juger les gens sur leur mine...

— T'es-tu bien assuré que ce ne sont pas
d'honnêtes commerçants, si toutefois ces deux
mots peuvent aller ensemble ?

— Oh ! non, sûrement pas ! Les souvenirs
d'Anthéo sont indiscutablement fidèles et ses
craintes justifiées. Je me suis muni de deux
énasers portatifs, un pour toi, un pour moi, ça
suffira largement et il ne convient pas que les
femmes, même quand ce sont des déesses, se
mêlent de combattre. A nous les simples héros
de cracher le feu, à elles de panser nos bles-
sures...

Aux premières lueurs du jour, l'équipe avait
pris position à l'extrême pointe, après avoir
ordonné à Anthéo et à ses ouailles de demeurer assez loin en arrière. Là-bas, les assaillants
avaient déjà commencé leurs manœuvres ; les
barques s'étaient regroupées, avaient hissé à
l'arrière leur petite voile carrée que la brise
matinale gonflait. Les rames battaient l'eau en
soulevant des paquets d'écume.

— Ils avancent vite, remarqua Paola. Au
moins cinq nœuds, comme on disait au bon
vieux temps.

— Laissons-les encore un peu approcher. On
distingue le reflet d'un courant qui porte sur
la droite vers la haute mer, ça aidera les survivants à s'enfuir plus vite quand nous aurons
accompli notre démonstration. Il faut qu'il y
en ait qui puissent rentrer chez eux pour raconter le désastre et ôter aux autres l'envie
de revenir s'y frotter. On peut y aller mainte-

nant, ordonna-t-il quand il jugea le moment favorable.

L'énaser n'était qu'une arme légère d'infanterie mais terriblement efficace dans un rayon d'une dizaine de kilomètres. Elle libérait un faisceau d'énergie pure sous forme de décharges de plasma à cent mille degrés guidées par le canal d'une onde cohérente. Son seul inconvénient consistait en ce que, si elle était parfaitement silencieuse dans le vide de l'espace, elle était terriblement bruyante dans l'air dont les molécules se désintégraient à grand fracas sur le trajet du fluide thermique, c'était la raison pour laquelle le pilote avait ordonné aux villageois de se tenir à bonne distance sinon leurs tympans eussent été durement malmenés. Quant à lui-même et ses compagnons, ils avaient pris la précaution d'assujettir sur leurs oreilles les indispensables tampons de protection.

Le combat inégal fut très court, à peine trois minutes, et encore les deux tireurs prenaient tout leur temps, visant soigneusement les barques de tête au lieu de tout balayer en rafales continues — il était très probable que les chefs de la flottille se trouvaient sur celles-ci et leur disparition achèverait de semer le désordre. L'un après l'autre, les dix premiers esquifs se transformèrent en boules de feu au milieu des éblouissantes fulgurations et du terrifiant déferlement des ondes sonores. Sur des objectifs aussi fragiles, de simples poutres de bois assemblées par des cordages et des liens de cuir, l'effet de destruction était total. Les barques et leurs équipages s'étaient littéralement volatilisés, on ne voyait même pas retomber de débris. Seules, celles qui se trouvaient un peu en arrière n'étaient que démembrées par le souffle né de la brutale expansion du plasma, quelques-uns des pirates qui les montaient eurent de la chance de n'être pas trop brutalement commotionnés et de pouvoir nager désespérément vers les bateaux de la troisième ligne. Ces derniers s'étaient arrêtés net, rames abandonnées et commençaient à tournoyer d'eux-mêmes sous l'effet conjugué de la brise et du courant, leurs nautonniers étaient visiblement paralysés de terreur et aussi incapables de réagir que s'ils avaient été eux-mêmes frappés par cette mystérieuse foudre surgie d'un ciel sans nuages. Mais bientôt le désir de s'éloigner au plus vite de cet enfer les ranima et trois dernières décharges dirigées vers leur aile gauche agirent à la façon d'un catalyseur. La mer bouillonnait autour d'eux. Avec une remarquable rapidité, les petites silhouettes se rétrécirent, ne furent plus que des points noirs qui s'estompaient progressivement dans la brume de chaleur de l'horizon. Pour bien les convaincre définitivement que l'île leur était à tout jamais interdite, Ephraïm attendit qu'ils fussent presque à la limite de portée de son énaser, prit appui sur un roc pour bien assurer sa ligne de mire, et, là-bas, une dernière barque explosa. Tout était terminé et l'étendue impassible des eaux violettes avait déjà oublié ce qui venait de se passer.

Sous l'épouvantable fracas des armes plasmatiques, les Dodoniens s'étaient plaqués au sol presque aussi terrorisés que leurs ennemis mais quand, après avoir démonté et rangé leurs projecteurs dans leurs étuis, les astronautes souriants revinrent vers eux, leur déchaînement de joie fut proprement indescriptible, leurs dieux avaient fait la preuve de leur incomparable puissance. Ils les avaient sauvés et leur témoignaient ainsi que leur tribu était préférée entre toutes ; le gage de l'alliance était scellé. Ce fut une succession de fêtes et de réjouissances comme Dodonè n'en avait encore jamais vu ; il fallut qu'Astrid fît preuve d'autorité pour les empêcher de gaspiller toutes leurs réserves et de surcharger la statue de guirlandes de fleurs jusqu'à ce qu'elle disparût complètement sous la masse odorante. Après s'être un temps mêlés à la liesse populaire, les quatre compagnons reprirent une attitude plus conforme à leur dignité et se réfugièrent dans le temple, avec pour seul entourage les prêtresses et Anthéo ; les incessantes clameurs devenaient presque aussi assourdissantes que les énasers. Ce fut dans ce calme relatif et tout en dégustant des gobelets de vin qui paraissaient tout aussi impossibles à vider que le tonneau des Danaïdes ne l'était à remplir, que se ralluma brusquement l'appel de l'aventure. Une phrase, une simple phrase prononcée par le grand prêtre et que, pour être bien sûr de la comprendre, Ariel lui fit répéter deux fois.

— Le tonnerre que tu as déchaîné sur nos ennemis nous a frappés d'effroi mais je n'aurais pas dû éprouver pareille crainte puisque je savais que tu t'en servirais.

— Que veux-tu dire, Anthéo ?

— La foudre n'est-elle pas l'arme des dieux ?
Je l'ai appris il y a quelques lunes de la bouche
d'un marin venu de Pélopa et qui se rendait
à Kiho. Son bateau avait fait escale ici pour
nous demander de l'eau fraîche qu'on ne refuse
à personne, la tempête l'avait chassé bien loin
de sa route et sa provision était épuisée. Ce
naute m'a conté qu'il avait assisté à un combat semblable à celui-ci, mais qui se déroulait
sur les flancs d'une très haute montage. Là-
haut, résident de grandes divinités, tes frères
sans nul doute, une horde de brigands a voulu
les attaquer pour s'emparer de leurs immenses
richesses et le plus puissant de ces dieux,
celui que le marin invoquait sous le nom de
Djè, les a repoussés et détruits jusqu'au dernier en les écrasant avec ce même tonnerre. Il
l'a vu de ses propres yeux et il en tremblait
encore en me faisant son récit.

Avec un lent sourire, le pilote regarda ses
camarades.

— Cette montagne et ce dieu qui lancent la
foudre me disent quelque chose..., murmura
Paola.

— A moi aussi. Le mot Pélopa semble bien
la racine de Péloponnèse et bien que l'Olympe
se trouve nettement plus au nord, ce navigateur pourrait être originaire de cette région.
Ne disais-tu pas que les grandes mythologies
ont pu naître à la suite du passage de voyageurs interstellaires ?

— Une nef entraînée sur la même sécante
extra-temporelle et dans les même circonstances que nous ? hasarda Astrid.

— La coïncidence serait par trop improbable, fit la navigatrice ; même azimut et même époque à la fois... Quant à moderne, c'est un fait évident, tu n'imagines quand même pas que des êtres capables de se déplacer dans le cosmos ne posséderaient pas toute la technologie que cela implique et ne connaîtraient pour armes que l'arc et la flèche ? En tout cas si cette Terre du passé sert actuellement ou a servi récemment de refuge à d'autres que nous, il faut absolument que nous le vérifiions et, si possible, que nous fassions leur connaissance.

— Ce sont peut-être tout simplement des nomades venus de Chine ? émit Ephraïm. Il paraît que cette race avait très tôt inventé la poudre ; de simples pétards ont pu frapper l'imagination des paysans du coin et le récit de ce feu d'artifice déformé et enrichi de bouche en bouche aura donné naissance à cette légende homérique.

— Drôle d'hypothèse ! Une caravane asiate parcourant huit ou neuf mille kilomètres pour venir s'installer sur le sommet pelé d'une montagne grecque ? Dans quel but ? Et surtout de quoi y vivraient-ils ? De toute façon rien ne nous est plus facile que d'aller y voir sur place. La promenade nous fera du bien. Nous commençons à nous encroûter...

Quand la nuit fut suffisamment avancée, l'équipe prit congé d'Anthéo et des jeunes prêtresses. Ils avaient en effet jugé préférable de ne pas disparaître subitement et sans donner d'explications : celle d'une visite de politesse à leurs frères divins du continent était on ne peut plus naturelle. Bien entendu ils promirent de revenir bientôt — tous les messies en font autant et l'espoir fait vivre leurs adorateurs. Lorsque le soleil se leva sur la Méditerranée, *La Vagabonde* voguait paisiblement à trente mille mètres d'altitude.

CHAPITRE V

— Une chose me déconcerte, fit Ariel en parcourant du regard les multiples cadrans du tableau, c'est de ne pas détecter la moindre trace d'activité électromagnétique artificielle. Ou bien nos confrères sont déjà repartis, ou bien ils ont mis en place des écrans efficaces même sur la gamme des ondes lumineuses. Et où se trouve cet Olympe, d'abord ?

— Il me semble bien me rappeler que nos historiens ne sont pas d'accord à ce sujet et que plusieurs cimes de l'Attique revendiqueront l'honneur d'avoir été le trône des dieux comme plusieurs îles de la mer Egée prétendront avoir donné naissance à Homère. De toute façon, vue d'ici, la région est minuscule, les recherches ne devraient pas être longues.

— Elle tient tout entière sur l'écran mais ça ne nous avance pas beaucoup si aucune anomalie caractéristique n'y apparaît.

— La Vagabonde aussi est indétectable et

pourtant elle plane dans le ciel. Bien que nous n'ayons en principe plus rien à redouter, tu as quand même activé nos champs de protection.

— C'est un réflexe. On ne saurait prendre trop de précautions. Après tout rien ne nous prouve que ces navigateurs inconnus, s'ils existent vraiment, n'auront pas une attitude hostile à notre égard quand ils s'apercevront de notre présence. Et d'abord ce ne sont sûrement pas des membres de la Fédération, ce nom de Djè que nous a cité Anthéo ne ressemble à rien.

— Il a très bien pu être déformé par les autochtones, c'est un phénomène courant d'adaptation d'un vocable étranger à l'idiome local. Tu as entendu comme moi nos amis Dodoniens invoquer Astrid sous le nom d'Astara.

— Ecoute, Ariel, intervint l'ex-déesse, c'est toi le plus militaire de nous tous ici, tu dois donc mieux que nous savoir que dans l'exercice de ton art, la notion de renseignement est primordiale et qu'elle conditionne toute décision et toute opération. Par conséquent ne devrions-nous pas commencer par interroger les indigènes ? Ils nous diront bien où habite ce Djè, à quoi il ressemble et comment il se comporte. Nous avons eu assez de peine pour apprendre les rudiments de la langue, ça nous servira enfin à quelque chose.

— Recommencer comme là-bas ? fit le pilote. Nous poser sur une quelconque montagne suffisamment haute et déserte puis descendre vers le premier village ?

— C'est une bonne idée et qui peut se réaliser avec moins de fatigue, appuya Ephraïm. A part l'aspect extérieur de sa coque, *La Vagabonde* est comme neuve, maintenant, je m'en porte garant. Tout a été vérifié ou rétabli jusqu'aux moindres circuits, il n'y a aucune défaillance à craindre. Nous pouvons tout tranquillement la laisser en sustentation stationnaire à haute altitude et nous servir de la chaloupe pour aller et venir à volonté. Il suffira de trouver un coin désert et isolé pour nous poser. Même en plein jour la descente passera inaperçue, avec le revêtement mimétique qui reflète la couleur du ciel l'engin est pratiquement invisible.

La proposition était sensée et le problème ne consistait plus qu'à trouver un point favorable situé de préférence dans la région la plus montagneuse, celle où les crêtes avoisinaient les trois mille mètres. Tous se penchèrent sur l'écran télescopique pendant que le vaisseau décrivait une série de cercles allongés. Hameaux, villages et bourgs paraissaient nombreux au flanc des pentes et nettement mieux construits que la pauvre Dodonè. Ici, sauf pour les petites masures champêtres, l'argile ou le pisé cédaient la place à la pierre blanche, les maisons étaient solides et souvent de proportions harmonieuses avec leurs toits en terrasses étagées, leurs cours dallées, leurs portiques et leurs pergolas. On n'avait en somme que l'embarras du choix, mais ce fut Paola qui la première attira l'attention de ses camarades sur un point particulier. Au fond d'une vallée resserrée mais qui s'élargissait ensuite en arc de cercle, s'érigeait un imposant bâtiment de marbre complètement isolé et entouré d'une luxuriante oasis de verdure : prairies, bosquets touffus, bois ombreux où scintillait çà et là le reflet de ruisseaux d'eau vive. Toutefois, malgré son éloignement des villages dispersés beaucoup plus bas, le lieu était loin d'être désert, on distinguait un peu partout de nombreuses silhouettes allant et venant au travers des clairières, remontant ou descendant les allées nettement dessinées qui menaient vers l'imposant bâtiment.

— Ce ne peut être qu'un temple, estima la navigatrice, et nous arrivons juste pour un jour de pélerinage ou de fête rituelle, sinon pourquoi y aurait-il tant de monde dans ce cirque isolé ? On n'y voit ni habitations secondaires ni cultures et le vallon n'est pas un lieu de passage puisqu'il se termine en cul-de-sac.

— Tu as probablement raison, enchaîna Astrid, ce ne peut être qu'une cérémonie religieuse, les marchés ou les foires se tiennent de préférence aux carrefours des grandes routes. Je pense que c'est un bon endroit et une bonne occasion pour prendre contact avec la population locale.

— La voilà déjà qui veut retrouver son statut divin, sourit Ephraïm. Sérieusement parlant, je suis d'accord avec notre toubib, il doit y avoir dans cette foule des gens qui viennent d'un peu partout à la ronde. Si nous nous mêlons à eux, nous n'aurons qu'à écouter les bavardages pour finir par apprendre ce que nous voulons savoir. Pour ce qui concerne nos costumes, nous n'avons pas besoin de modifier

ceux que nous avons adoptés, la tunique courte
est décidément à la mode et l'art du tissage
semble avoir fait plus de progrès sur le continent que dans les îles. Les étoffes paraissent
plus souples et plus claires.

— Tu serais d'avis de descendre tout de
suite ? questionna Ariel. Je suis entièrement
d'accord et je propose que nous nous posions
un peu au-dessus de la sortie de cette espèce
de défilé qui verrouille la vallée. C'est au travers de celui-ci que tous ces gens arrivent,
nous les rejoindrons et, quand ils nous ver-
ront, ils croiront que nous avons suivi le même
chemin qu'eux.

Après que le pilote eut immobilisé la nef au
zénith du temple et branché le contrôle automatique, l'équipe se prépara rapidement, vérifiant et dissimulant dans ses vêtements le minimum indispensable des télécommunicateurs
et des armes de protection. Puis ils prirent
place dans la chaloupe qui plongea vertigineu-
sement pour stopper entre les parois d'un
minuscule thalweg et repartir avec la même
rapidité dès qu'ils eurent mis pied à terre. Aussitôt qu'Ariel se fut assuré que l'engin avait
bien réintégré son logement de soute et demeurait paré à répondre au premier appel, les
quatre compagnons dévalèrent l'éboulis, franchirent une haie de lauriers-roses, émergèrent
sur la route.

Comme prévu, personne ne fit attention à
leur soudaine apparition. Il n'y avait d'ailleurs
qu'un seul groupe en vue dont les membres
ne se retournèrent pas et, derrière eux, le chemin était momentanément vide. Ils avancèrent

donc tranquillement, réglant leur marche sur celle de leurs devanciers afin que la distance qui les séparait s'accroisse encore et qu'ils ne se trouvent pas trop tôt mêlés au reste de la foule. Un peu plus loin un dernier entassement de rochers marquait la fin du défilé, masquant le cirque lui-même dont on n'apercevait, se détachant sur le fond clair des montagnes, que les couronnes de feuillages des arbres les plus proches et, au-delà, la plus haute terrasse du temple. La route contournait ces blocs, s'ouvrait brusquement sur le panorama intérieur et, quand ils se trouvèrent de l'autre côté, ils purent enfin embrasser du regard l'ensemble de ce grand parc naturel occupant tout le large palier circulaire qui formait l'aboutissement du vallon. Partout se dessinaient les massifs de pins et de chênes, les haies glauques et opaques de myrtes, lentisques ou lauriers, les arbousiers, les cyprès en longues colonnades, les recoins verdoyants. C'était bien, au pied des falaises brûlées de soleil, une véritable oasis de fraîcheur d'où s'exhalait un parfum intense et prenant, et où montait le chant cristallin des sources claires. Mais l'entrée elle-même de ce vert paradis était encore à deux cents mètres en avant, un arc de rameaux, de pampres de vigne et de fleurs tressées barrait le chemin comme une porte et, rassemblées au pied de cette voûte agreste, fermant le passage, quatre ou cinq douzaines d'hommes et de femmes couronnées de roses et de jasmin étaient groupées. Sauf quelques rares exceptions, ils étaient tous jeunes ; les garçons svel- tes et musclés, les filles bien faites. Si c'était là le comité d'accueil, on avait certainement choisi les plus agréables spécimens de la race pour le constituer. Tournés vers les quatre camarades, ils les regardaient venir et, quand ils ne furent plus qu'à quelques pas, l'un d'eux, visiblement plus âgé mais d'une stature presque aussi puissante que celle d'Ephraïm, leva le bras et proféra quelques mots à leur adresse. Les astronautes se regardèrent et, après une seconde, Astrid éclata de rire. C'était bien la peine de s'être donné tant de mal pour apprendre le dialecte dodonien, la phrase qu'il venait d'entendre leur était demeurée totalement incompréhensible. Une certaine analogie se laissait deviner, il y avait sans nul doute des racines communes, mais à peine reconnaissables, les sons étaient beaucoup plus harmonieux et, au lieu d'être brefs et gutturaux, se développaient en flexions et en cadences chantantes. Tout l'apprentissage était à recommencer si l'on voulait entrer en communication et obtenir les informations désirées.

Cependant l'hilarité de la jeune femme se révéla aussitôt contagieuse, gagnant le groupe entier et s'accroissant encore lorsque Ariel tenta de répondre qu'ils étaient de simples voyageurs venus des îles. Il n'y avait nulle trace de raillerie dans cette gaieté ni dans les paroles que les aborigènes échangeaient entre eux ; tous paraissaient plutôt enchantés de voir apparaître des étrangers, venus de si loin en affrontant les dangereux périls de la mer, pour honorer leurs dieux ou leurs déesses, c'était la preuve que leur réputation s'étendait très loin. Le hiérophante éleva encore une fois la voix,

deux jeunes hommes se détachèrent de l'assemblée, l'un saisit la main d'Astrid, l'autre celle
de Paola et, les attirant irrésistiblement, les
entraînèrent au travers de l'arc en direction
des premiers arbres. Tout cela s'était passé si
vite que ni Ariel ni Ephraïm n'avaient eu le
temps de réagir et n'en eurent du reste pas
l'occasion. Deux filles aux brèves tuniques claires se précipitaient à leur tour, s'accrochaient
à leurs bras, le reste de l'assemblée s'ouvrit
pour leur laisser le passage. Non pas en direction du temple dressé là-bas dans son éclatante
blancheur ni vers la gauche où les silhouettes
de leurs compagnes avaient disparu, mais vers
la droite, vers d'autres bosquets, d'autres four-
rés, d'autres clairières...

Deux bonnes heures plus tard, Paola attei-
gnit l'espace dégagé qui s'étendait devant l'entrée du temple et, s'efforçant de remettre un
peu d'ordre dans ses vêtements, s'assit sur une
marche à l'ombre d'un pin parasol pour attendre les autres. Elle n'avait aucune inquiétude
à leur sujet, grâce aux minuscules transcepteurs qui avaient servi pour maintenir le
contact, bien qu'ils aient été dès le début séparés ; eux aussi devaient traverser le cercle,
obéir à ces rites d'initiation auxquelles elle venait de se soumettre à plusieurs reprises. Les
souvenir de ses lectures remontaient en elle, la
grande fête religieuse à laquelle ils étaient venus
se mêler n'était autre qu'une Dionysie, une
bacchanale. Tous ceux qui voulaient y parti-

ciper devaient littéralement payer de leur personne. Dès le premier moment du franchisse-
ment de l'arc fleuri, la jeune navigatrice avait
compris mais, malgré son habituelle réserve
relative et sa sagesse bien connues, elle n'avait
pas tenté de résister. Etaient-ce les parfums
aphrodisiaques qui montaient des innombrables buissons chargés de lourdes corolles capi-
teuses, était-ce l'obscur sentiment d'insatisfac-
tion né des énervantes caresses des prêtresses
de Délos — les deux à la fois probablement —
mais elle n'avait fait aucune difficulté pour se
livrer aux étreintes de son guide et de celui
qui avait pris la relève plus loin, et du troisième. Il y avait tant de recoins accueillants,
tapissés de mousse épaisse, au bord des frais
ruisseaux, dans ce parc magnifique perdu au
fond des montagnes et des siècles...
Le maître technicien fut le premier à venir
la rejoindre puis bientôt Ariel ; quant à Astrid
elle se fit attendre longtemps encore, le soleil
avait franchement dépassé le zénith lorsqu'elle
se montra enfin, avançant d'une démarche
lasse et alanguie. Elle se laissa aller à son tour
sur le bloc de marbre, tourna vers ses compagnons un visage empourpré.
— Excusez-moi d'avoir mis si longtemps à
traverser les bois, mais vraiment, cette étude
du comportement sexuel au cours des fêtes
dionysiaques de la Grèce antique était passionnante. Quelle sincérité dans cette totale libé-
ration psycho-physique de tout l'être ! Dommage que le décalage des rythmes masculin et
féminin se fasse déjà sentir dès cette époque,
ils sont nettement trop brefs dans leurs dé-

monstrations, il faut au moins trois ou quatre
partenaires successifs pour atteindre à la plé-
nitude.

— Et comme ta conscience professionnelle
t'oblige à répéter également trois ou quatre fois
tes expériences afin d'être sûre de leur conclu-
sion, sourit Ephraïm, je comprends que tu
aies mis si longtemps.

— Toute observation scientifique doit être
contrôlée, si on veut éliminer les erreurs d'in-
terprétation et les interférences du coefficient
personnel. Mais toi-même, tu n'es pas venu jusqu'ici en une seule étape ?

— Je ne les ai pas comptées. Je regrette de
ne pouvoir ajouter des éléments à ton dossier,
tout ce que je peux te dire, c'est que les jeunes
beautés qui se sont trouvées sur mon chemin
devaient être moins exigeantes que toi, car elles
ne paraissaient nullement déçues en me quittant pour laisser la place à d'autres.

— Si je puis apporter ma propre contribution à cette remarquable étude ethnologique,
enchaîna Ariel, je dirai que cette accélération
de rythme notée par notre éminente camarade
n'est pas unilatérale et résulte probablement,
soit d'une activité physiologique plus intense
chez une race plus jeune que la nôtre, soit de
conditions particulières au milieu et au moment ; les rites imposent peut-être que ces
bacchanales soient précédées par une longue
période d'abstinence. Qu'en penses-tu, Paola ?

— Je n'ai pas de rapport à faire à ce sujet,
répliqua vertueusement la jeune femme, je suis
navigatrice et non sexologue. Si, maintenant
que nous avons gagné notre droit à l'accès,

nous allions voir un peu ce qui se passe à
l'intérieur du temple ? A moins qu'Astrid ne
se sente trop fatiguée...

— Tout de même pas à ce point, chérie !
Mais tu n'as pas peur que de nouvelles épreu-
ves nous attendent là-bas ?

Le massif encadrement du portique franchi,
ils s'arrêtèrent au seuil d'une immense salle
baignée de fraîche pénombre claire et toute
résonnante de clameurs et de chants. Entre les
quatre hauts murs nus, percés à droite et à
gauche de fenêtres à demi masquées par des
rideaux de plantes grimpantes suspendues au
dehors, le dallage tout entier disparaissait
sous une succession ininterrompue de longues
tables recouvertes de piles de victuailles et
d'innombrables cruches qui ne contenaient sûrement pas de l'eau. Tout autour de ces ro-
bustes plateaux de chêne étaient disposés des
bancs où s'entassaient des centaines d'hommes
et de femmes buvant, s'empiffrant, s'interpel-
lant joyeusement. Parmi cette foule de convives, la majorité était jeune mais il y en avait
aussi de plus âgés et même des vieillards —
ceux-là avaient certainement dû être autorisés
à monter directement par l'allée centrale jusqu'au naos, ils avaient passé le temps des ébats
propitiatoires du cercle extérieur, mais ils
étaient encore à celui où les libations des vins
parfumés réchauffent les membres engourdis
et réjouissent le cœur des dieux. D'un dieu tout
au moins, ou plutôt de son représentant, sinon
de son incarnation : un homme d'une trentaine

d'années trônant tout au bout, au centre d'une table légèrement surélevée et qui, du geste et de la voix, animait en chef d'orchestre ce concert discordant. Son apparence avait tout de suite retenu l'attention des quatre voyageurs temporels, tant son aspect physique tranchait sur le reste de l'assemblée : il était beaucoup plus grand, sa peau était plus claire et surtout il était blond, d'un blond lumineux qui dessinait un casque d'or autour de son visage aux traits réguliers éclairé par un large rire. Au milieu de ce peuple où tous sans exception arboraient des cheveux noirs, courts et souvent frisés en petites boucles, il était impossible de ne pas le remarquer, comme on ne pouvait non plus ne pas noter l'exceptionnelle finesse de l'étoffe de sa tunique soutachée de fines broderies du même or que sa longue chevelure. Synthétique ou naturelle c'était indubitablement de la soie, ce précieux matériau qui n'apparaîtrait en Europe que de très nombreux siècles plus tard.

— J'ai bien l'impression que nous n'avons pas besoin de chercher plus loin, murmura Ariel. Ce gars-là n'est pas né sur les bords de la Méditerranée, non plus qu'au sein de l'antique civilisation où nous nous sommes fourvoyés...

— En tout cas il n'a pas l'air bien méchant, remarqua Ephraïm. D'ailleurs, l'animateur de ce genre de fêtes, pleines de joyeuse amoralité, ne devrait pas l'être. L'amour et le bon vin ne vont guère avec les sacrifices sanglants. On essaie de faire sa connaissance ?

— Je crois inutile d'attendre, répondit Ariel, et du reste il nous a déjà remarqués. Paola et surtout toi qui es passablement noiraud pourriez à la rigueur passer pour des aborigènes mais pas moi et encore moins Astrid. Allons nous présenter devant son auguste personne.

Ils se faufilèrent le long du mur vers le sommet de la salle pendant que l'inconnu, comme l'avait noté le pilote, les regardait approcher avec un intérêt marqué. Quand ils atteignirent la table surélevée, il les dévisagea avec attention, se leva, écarta d'un geste impérieux les quelques indigènes qui se trouvaient près de lui pour faire de la place. Ariel, qui venait en tête, l'examinait également, notait l'œil clair, le regard assuré, sans la moindre trace d'ivresse et pourtant, pendant les minutes précédentes, il l'avait vu engloutir d'impressionnantes rasades. Le Terrien ne s'en étonnait pas d'ailleurs, il y trouvait une confirmation à son hypothèse : ses camarades et lui-même utilisaient en pareil cas des comprimés antitoxiques neutralisant d'une façon totale et sans la moindre séquelle les effets de l'alcool, même en quantité démesurée. Le personnage inclina aimablement la tête, posa une question dans laquelle le Terrien reconnut les consonances de l'idiome local sans toutefois parvenir à le comprendre, pas plus qu'il n'avait compris les paroles du groupe de réception à l'entrée du parc. A tout hasard il répondit dans son meilleur dodonien, ce qui, de toute façon, ne lui permettait guère de dire qu'il était un voyageur interstellaire. Néanmoins l'homme eut un chaud sourire, émit une nouvelle interrogation dans un langage tout à fait différent que le pilote supposa être logiquement celui de sa propre race. D'ins-

tinct il l'imita, recourant à la lingua media de
la Fédération.

— Nous sommes des navigateurs originaires
de cette même planète où nous sommes aujour-
d'hui, mais un incroyable concours de circonstances nous a rejetés dans le passé, notre civilisation n'existe plus que dans le futur. Je sais
que vous ne pouvez pas plus me comprendre
que je ne vous comprends, mais avec un peu de
temps et de bonne volonté, nous y arriverons
bien...

Le sourire de l'inconnu s'élargit. Il recula de
deux pas et, avec une parfaite urbanité, tendit
la main pour inviter ses nouveaux hôtes à prendre place sur le banc de chaque côté de lui.
Paola s'installa à sa gauche, Astrid à sa droite,
les deux autres un peu plus loin tandis que
l'homme attirait à lui des gobelets, les remplis-
sait, levait le sien en signe de toast amical.
Après quoi, approbativement, il demeura silencieux, tournant la tête de chaque côté pour
continuer à les examiner avec attention, attar-
dant particulièrement son regard sur Astrid.
Celle-ci lui dédia son sourire le plus séduisant
puis, saisie d'une brusque idée, fouilla dans
sa ceinture, en retira son chrono-dateur, un
remarquable bijou de précision serti de métal
précieux et de diamants de synthèse. Elle le
posa devant lui, il le souleva, l'examina pendant quelques secondes, le lui rendit en ho-
chant la tête. A son tour, il glissa une main
sous ses vêtements, parut chercher un instant,
sortit finalement une petite boîte rectangulaire
dont il fit glisser le couvercle, laissant voir à
l'intérieur une rangée de minuscules tubes de

cristal. Il en choisit un, versa dans sa paume quatre infimes granulés sphériques, les répartit dans les gobelets de ses invités, inclina de nouveau la tête. Après une seconde réflexion, il en mit un cinquième dans son propre verre qu'il avala d'un trait. Hésitant à peine, les astronautes en firent autant, constatant simplement que le vin n'avait pas changé de goût. Avec un air bienveillant, le maître de cérémonie se remit sur ses jambes, posant les mains sur les épaules de ses deux voisines pour signifier qu'elle et leurs compagnons devaient rester à leurs places, s'éloigna et se mit à descendre le long des travées, bavardant gaiement avec la foule des convives, empoignant ici ou là un cratère qu'il brandissait au-dessus de sa tête avant de le vider aussitôt imité par tous.

— Je me demande ce que signifient ces pilules ? fit Paola. Un symbole de communion, comme dans l'ancienne religion chrétienne ? J'espère seulement que ce n'est pas du poison, mais en tout cas je ne sens rien de particulier pour le moment.

— Pourquoi voudrais-tu qu'il cherche à nous tuer dès la première rencontre ? De toute façon, je suppose que notre toubib n'a pas oublié d'emporter avec elle sa réserve d'antidotes à spectre total pour le cas où nous en aurions besoin.

— Je l'ai déjà sous la main, sourit Astrid. Que le premier d'entre vous qui sent sa vision s'obscurcir ou son cœur faire des ratés le dise immédiatement...

Mais les minutes s'écoulaient et rien ne se produisait, ils se mirent donc à attendre pa-

tiemment que leur hôte revienne auprès d'eux ;
il ne se pressait d'ailleurs nullement. Ce fut
au contraire l'un des indigènes assis au premier plan en contrebas qui, après les avoir
longuement examinés d'un regard vacillant,
prit la brusque décision de se lever non sans
peine, s'efforça d'affermir sa démarche, con-
tourna la table et vint se pencher sur la jeune
navigatrice qui se jeta en arrière, sous le choc
d'une haleine puissamment chargée de senteurs alliacées.

— Tu es vraiment mignonne ! hoqueta le
bonhomme. Veux-tu venir avec moi dans le
bois sacré ?

— Ah, non ! clama Paola en plissant les na-
rines d'un air dégoûté. Je suis dans le naos
maintenant, fiche-moi la paix !

Ephraïm se pencha au travers de la table,
repoussa d'une poigne sans réplique le paysan
qui oscilla, chancela et finit par retomber sur
son banc au milieu des éclats de rire.

— Va cuver ton vin ailleurs si tu n'es pas
capable de voir à qui tu as affaire ! C'est nous
qui choisissons ceux qui nous plaisent, pas
toi !

Il s'interrompit net, se rassit, regarda ses
camarades avec stupéfaction.

— Mais..., émit-il lentement, que se passe-
t-il ? Nous avons compris mot à mot ce que
disait cet ivrogne ! Et lui aussi semble avoir
très bien entendu ! Tenez, écoutez les railleries
que lui lancent ses amis en ce moment...

Brusquement surgi de l'estrade, le Bacchus

blond était déjà près d'eux, se réinstallait en les contemplant tour à tour d'un air amusé.

— Je vois, fit-il d'un ton allègre, que si la civilisation à laquelle vous appartenez semble très évoluée, la mienne possède quelques connaissances supplémentaires. Vous êtes en train de vous étonner d'avoir subitement reçu le don des langues, mais cela n'a vraiment rien de miraculeux et n'est que parfaitement naturel. En fait, comme vous pouvez facilement le constater, chacun de nous continue de s'exprimer dans son propre idiome, mais en réalité les phénomènes émis vocalement n'ont aucune importance, la seule chose qui compte est leur signification, c'est elle que vous percevez maintenant.

— Par télépathie ? interrogea Astrid.

— Absolument pas. Voyez-vous, les mots qui forment un langage sont des « idéophones » on peut les comparer à une onde porteuse à laquelle se superpose une autre onde que nous pouvons qualifier de sémantique et c'est celle-là qui compte puisqu'elle transmet le sens de chaque vocable indépendamment de sa forme ou de son articulation. Regardez les bêtes, elles se comprennent très bien, même si elles piaulent, grognent ou rugissent de façons différentes. Cette faculté qui consiste à analyser instantanément la signification d'un message oral a persisté en se développant chez les animaux supérieurs jusqu'aux anthropoïdes, archanthropes et à l'homme lui-même. C'est grâce à elle que les primitifs pouvaient communiquer d'une manière de plus en plus complexe. Elle s'est maintenue chez les races du premier stade telles que celle au milieu de laquelle nous nous trouvons actuellement.

— Nous avons effectivement noté au cours de nos premiers contacts, intervint Ariel, que les indigènes semblaient saisir tout ce que nous leur disions alors que, pour nous, leur réponse demeurait incompréhensible.

— C'est exactement cela. Ils sont encore capables de nous percevoir sémantiquement.

— Mais alors pourquoi nous, ne le sommes-nous plus ?

— Tout simplement à cause même de votre civilisation. Le trop grand développement du vocabulaire et surtout l'apparition des autres moyens de communication : l'écriture, les transmissions à longue distance telles que la radio, le matérialisme de la technologie, tout cela a progressivement mis en sommeil la partie de votre cerveau où se logeait cette sémaception. Elle ne vous était plus nécessaire et vous ne savez donc plus vous en servir. Il ne vous est resté qu'un seul élément périphérique, celui de l'intonation. Vous savez si l'étranger qui vous parle pose une question, formule un ordre ou est en colère, sans avoir besoin de regarder son visage. Chez nous, ce niveau de civilisation a été dépassé. Nous sommes, dans ce domaine particulier, redevenus semblables à nos très lointains ancêtres, nous avons retrouvé ce don que nous avions perdu.

— Et vous avez su également le réveiller dans nos cerveaux ? questionna Astrid. L'effet de la drogue que vous nous avez fait absorber tout à l'heure, sans doute ?

— C'est bien cela. Je suis parti dans l'hypothèse que vos encéphales étaient semblables aux nôtres, tout comme votre morphologie, et qu'il y avait donc une chance que nous puissions bavarder ensemble. La molécule dont je me suis servi a été mise au point il y a très longtemps, je crois qu'elle est dérivée d'un champignon toxique ou de quelque chose comme cela. En tout cas, sous cette dose, elle ne pouvait pas vous faire de mal. Je me suis éloigné pour lui donner le temps d'agir et je vois que ça a bien marché. Ne vous inquiétez pas pour la suite, le résultat sera durable. La zone cérébrale réveillée ne se rendormira plus.

— C'est merveilleux ! Parler deux langages absolument différents et pourtant se comprendre totalement sans la moindre difficulté... Je donnerais tout pour avoir la formule de ce produit.

— Je ne la connais pas et sûrement personne d'autre non plus. Il y a longtemps que nous avons cessé de nous intéresser à ces détails. Mais je vous en fournirai tant que vous voudrez si vous voulez vous amuser à en faire l'analyse. Au fait, je ne me suis pas encore présenté. Je m'appelle Diéno et je viens d'une planète qui se nomme Ourya. Elle se situe en gros dans le second tiers du premier bras spiral au nord galactique d'ici.

— Deux bons milliers de parsecs, apprécia le pilote. Inutile de vous demander si vous possédez les techniques de navigation paradimensionnelle... Voici Paola, Astrid, Ephraïm et pour moi-même Ariel. Comme vous avez dû le comprendre lorsque nous vous avons abordé, une série d'incidents malencontreux a fait que nous nous soyons trouvés embarqués sur une sécante erratique aboutissant à un nœud rémanent. En d'autres termes nous avons atterri sur notre planète d'origine plus de cinquante siècles avant notre naissance. C'est une étrange situation mais comme il semble qu'il n'y ait aucune possibilité de reprendre le chemin inverse puisque le futur n'existe pas encore, nous sommes bien forcés de nous en accommoder.

— L'essentiel est que vous soyez vivants, n'est-ce pas ? Après tout, le hasard vous a offert ainsi une intéressante occasion d'explorer votre propre antiquité. C'est au fond ce que mes camarades et moi sommes en train de faire.

— Vous êtes explorateurs ?

— C'est ainsi que l'on nous appelle quand on n'emploie pas tout simplement le terme de fous. Mais vous aurez bien le temps d'apprendre tout ce qui nous concerne. J'espère que vous nous ferez le plaisir de venir vous installer à côté de nous dans notre petit domaine réservé. Notre président de groupe, Djess, se fera une joie de vous accueillir.

— C'est une invitation que nous acceptons très volontiers. Vous nous servirez d'introducteur ?

— Si vous voulez, bien que ce ne soit pas nécessaire, vous êtes assez grands pour vous présenter vous-mêmes. Mais si vous y tenez, il vous faudra attendre la fin des fêtes. Vous comprenez, c'est moi qui les ai créées et baptisées Diénosies. J'adore ce genre de réjouissances et je tiens à les animer et y participer jusqu'au bout sans en perdre le moindre instant. Elle ne vous ont pas trop choqués, au moins ? C'est dans mon caractère d'aimer cette sorte de liesse collective et ce peuple chez qui la liberté des mœurs est très grande m'a offert un excellent terrain pour goûter à toutes les joies de l'existence en les déchaînant sous le couvert de rites religieux. Je suis pour eux l'incarnation du Dieu de toutes les ivresses...

— Votre initiative se perpétuera pendant encore au moins deux mille cinq cents ans, répliqua Astrid, jusqu'à ce qu'apparaissent les sombres temps de la pudeur, de la honte et de l'hypocrisie. Mais le souvenir en demeurera dans l'histoire sous le nom à peine changé de Dionysies. Personnellement je les trouve passionnantes.

— Moi aussi, coupa Paola. Toutefois mes premières expériences de ce matin me suffisent largement pour cette fois. Je crois que nous ferions mieux de vous laisser à vos devoirs d'initiateur divin et de retrouver un peu de calme.

— De toute façon, je vous rejoindrai là-haut dès que le temple refermera ses portes. Je suppose que votre vaisseau est toujours en bon état, malgré ses aventures ? L'endroit n'est pas difficile à trouver, immédiatement en dessous du point culminant de ce massif, le mont

Olumpéa. Ne vous inquiétez pas des champs de neutralisation, ils ne sont là que pour le principe et s'ouvriront d'eux-mêmes dès que vous serez à proximité. Tout comme des barrages très efficaces se mettraient non moins automatiquement en activité si par hasard vous aviez des intentions agressives, mais je suis certain du contraire. Transmettez mon joyeux souvenir à Djess et à tous les autres et à bientôt...

CHAPITRE VI

Astrid et Ariel montrèrent quelque amertume à quitter si vite les fêtes, mais Ephraïm, craignant à juste raison qu'elles ne dégénèrent bientôt en dangereux excès se rallia à l'opinion de la navigatrice — du reste les bacchanales ne faisaient que commencer et devaient durer encore cinq jours, on pouvait se demander jusqu'où irait la débauche. D'ailleurs Diéno, considérant visiblement qu'il avait rempli tous ses devoirs en leur faisant don de la sémaception et en leur donnant les coordonnées de son Olympe, repartait déjà vers la cohue de ses fidèles. Mieux valait ne plus s'attarder et regagner *La Vagabonde* si l'on voulait arriver là-haut avant le soir. Ils quittèrent donc le naos sans trop de difficultés, descendirent l'allée centrale, repassèrent sous l'arc d'où le comité d'accueil avait disparu ; les derniers retardataires étaient arrivés et devaient être en train de traverser le cercle initiatique, il n'était plus besoin de retourner jusqu'au thalweg. Dês le tournant du rocher franchi, la route apparaissait déserte ; nul témoin n'assisterait aux mouvements de la navette.

Ariel reprit les commandes de *La Vagabonde*, repéra sans peine la cime culminante signalée par Diéno, entama une lente descente oblique. Pendant de longues minutes, l'équipe regarda grandir progressivement la pointe abrupte et qui, sur les écrans se dessinait de plus en plus inhospitalière. Ni sur le sommet en forme d'arête, ni dans ses contreforts immédiats, il ne semblait y avoir place pour une plate-forme d'atterrissage et de séjour — seul le récepteur de vision réglé sur les gammes des ultraviolets indiquait en contrebas et sur la droite la présence d'une anomalie : l'image se diluait comme si un lambeau de brouillard traînait là. Ce ne fut que lorsque leur progression de plus en plus ralentie les amena à moins d'un kilomètre de la crête que, avec une impressionnante soudaineté, cette brume se volatilisa, démasquant ce qu'elle avait jusqu'alors caché à tous les regards. La dénivellation qui avait paru rectiligne se cassa, un grand replat suspendu entre deux falaises se matérialisa, se présentant sous l'aspect d'un balcon horizontal gazonné, d'environ deux cents mètres de large sur le double en longueur, accroché en encorbellement à la face sud-est de la cime. Au centre reposait une grande masse rectangulaire de métal brillant comme de l'argent poli.

— Mais ce n'est pas une nef, ça ! s'exclama Astrid. C'est une simple maison. On n'a jamais

vu de vaisseau parallélépipédique ! Où est celui
qui a amené ces Ouryens ?

— Il y a sûrement beaucoup d'autres choses
que nous n'avons jamais vues, fit Ariel. Pourquoi cette résidence terrestre ne serait-elle pas
en même temps une nef ? Si on se donne la
peine d'y réfléchir, ce n'est que par routine
que nous continuons à donner aux nôtres des
formes ovoïdes ou sphériques, par une vieille
notion d'aérodynamisme parfaitement inutile
dans l'espace. Les champs-enveloppes nécessaires à la translation et au déplacement dans
le continuum s'adaptent aussi bien à un cube
qu'à un fuseau et l'équirépartition intérieure
de la gravitation artificielle est indépendante
de la forme de la coque. Je note du reste que
les angles et les arêtes sont arrondis, ça suffit
certainement pour faciliter les manœuvres
dans l'atmosphère et, quand le vaisseau est
posé, il n'y a plus besoin de rampe dépliable
encombrante puisque le palier des coursives se
trouve presque au niveau du sol. C'est un type
d'architecture qui mérite d'être retenu...

Afin de bien montrer qu'il arrivait avec des
intentions pacifiques, le pilote freina encore la
propulsion et évolua avec une majestueuse
lenteur, immobilisa enfin *La Vagabonde* sur
ses coussins antigravifiques, parallèlement et à
deux cents pas de l'étrange habitation. Aussitôt
l'assiette établie, il ouvrit le sas et rejoignit
le sol suivi de ses compagnons. Au même moment, en face, une porte s'ouvrait, laissant apparaître un homme de bonne taille dont le visage s'encadrait d'une épaisse chevelure et
d'une barbe bien fournie, l'une et l'autre d'un

roux éclatant. A la mode du pays il était vêtu
d'une tunique blanche et de sandales dorées
mais arborait en plus un long peplum rejeté
en arrière et retenu sur les épaules par une
brillante chaînette. Il s'avança à leur rencontre
et, dès qu'il se trouva à leur hauteur, il s'arrêta
en leur dédiant en un large sourire l'éclat de
ses dents très blanches.

— Soyez les bienvenus, émit-il d'une voix
profonde. Je suis Djess, théoriquement maître
à bord de ce vaisseau errant et je connais déjà
vos noms à tous quatre. Diéno m'a informé de
votre visite, mais vous avez vu comment il
est... Ses amusements l'occupent trop pour
qu'il perde son temps à ces détails. Peu importe, que vous soyez d'ici ou d'ailleurs,
d'aujourd'hui ou de demain, vous êtes ici chez
vous. Entrez et soyez nos nouveaux compagnons autant qu'il vous plaira, plus on est de
dieux, plus on rit...

L'intérieur de la résidence spatiale ressem-
blit en tout point à son extérieur ; c'était
bien une véritable villa avec de grands appartements éclairés par de larges fenêtres — il
fallait regarder de très près pour s'apercevoir
que la coque recelait des panneaux coulissants
destinés à masquer hermétiquement ces ouver-
tures pendant la navigation. Pas de ces classiques cabines restreintes avec leur ameuble-
ment fonctionnel mais de véritables pièces
somptueusement ornées avec un art réel bien
que souvent déroutant. A part le fait que les
tables étaient des tables et les fauteuils des

fauteuils, rien dans le décor ne ressemblait à
ce que les Terriens avaient l'habitude de voir.
Cependant l'ensemble reflétait une chaude harmonie, une très agréable ambiance de confort,
de délassement paisible et de complète sécurité ; il avait suffi de franchir le seuil pour
oublier le monde extérieur et se retrouver dans
un inconcevable ailleurs qui pouvait se situer
tout aussi bien sous le ciel de l'Attique qu'à
l'autre bout de la galaxie. En tout cas, cette
nef, car c'en était effectivement une, était pour
l'essentiel, sinon même en quasi-totalité, une
demeure princière ainsi que ses nouveaux hôtes
purent le constater pendant que Djess leur
faisait faire le tour du propriétaire. C'était à se
demander où se logeaient les générateurs et
les organes de propulsion, probablement dans
ce qui restait d'espace disponible sous le plan-
cher et au-dessus des plafonds. Il n'y avait
même pas de poste de pilotage à proprement
parler, seulement quelques écrans de contrôle
encastrés çà et là dans les parois. Les Terriens
devaient bientôt apprendre que l'automatisme
était poussé à un tel point que les habituels tableaux de bord étaient devenus superflus, tout
obéissait à la voix et sans la plus minime
chance d'erreur.

— Là encore, soupira Ephraïm, nous sommes bien inutilement retardataires et par trop
attachés à nos routines traditionnelles. Il nous
faut absolument un entassement de panneaux
métalliques surchargés de cadrans, d'indica-
teurs, de voyants lumineux pour bien nous cer-
tifier que nous sommes des génies capables
de dompter la matière et l'espace, alors que

nous pourrions très facilement faire comme eux et nous entourer d'un cadre moins rébarbatif. A quoi bon se donner la peine de déchiffrer les oscillations d'une aiguille ou le tremblotement d'une courbe lumineuse et quand il suffirait de poser une question pour obtenir la réponse ? Chez nous aussi, les ordinateurs sont pourvus de périphériques vocaux ; on pourrait en tirer un beaucoup plus grand parti que nous ne le faisons, surtout à bord des vaisseaux de Force.

— Peut-être en vertu de la bonne vieille discipline militaire, sourit Ariel. C'est aussi une routine traditionnelle, comme tu disais. Que ferait l'officier de navigation pendant ses heures de quart, s'il n'avait plus devant lui tous ces appareils de contrôle pour l'aider à passer le temps ?

Mais, tout d'abord et dès l'entrée dans le grand salon, Djess avait procédé aux présentations des autres membres du groupe ouryen : deux femmes et un homme — en ajoutant Diéno le premier panthéon olympien ne comptait donc que cinq divinités.

— Voici tout d'abord Hyria, mon épouse coutumière et que j'ai accepté pour mon malheur d'emmener encore cette fois en voyage. N'écoutez pas trop tout ce qu'elle ne manquera pas de vous raconter à mon sujet, elle a une fâcheuse tendance à voir le mal partout.

Un sourire imperceptiblement désabusé éclaira les traits réguliers de la jeune femme aux pâles cheveux cendrés qui se contenta de hausser ses belles épaules pleines.

— Il aurait fait beau voir qu'il parte sans moi ! Il ne serait pas long à se mettre dans des situations impossibles si je n'étais pas là pour veiller sur lui. Vous avez déjà fait la connaissance de Diéno, n'est-ce pas ? Djess est encore pire dans ses turpitudes et, le plus grave, c'est qu'il se prend au sérieux. Heureusement nous avons ici au moins deux camarades qui ne se laissent pas si facilement entraîner par leurs bas instincts.

— Pourquoi bas ? gronda Djess. Tous les instincts font partie intégrante de l'être humain et aucun n'est supérieur ou inférieur aux autres ! J'aime les jolies filles et parfois les jeunes garçons quand ils sont très beaux, c'est un fait mais, en ce qui concerne au moins les premières j'ai la satisfaction de me dire que je concours à l'amélioration de la race locale. J'introduis dans ses chromosomes des gènes évolués qui feront apparaître dans ma descendance des conducteurs d'hommes et des constructeurs de l'avenir. Pour ce qui est d'Artmè, cette séduisante brune que vous voyez là, elle est relativement chaste, c'est entendu, mais en est-elle pour autant meilleure que Diéno ou moi ? Son plaisir à elle c'est la poursuite du gibier dans les forêts et de préférence la nuit. Elle force pendant des heures des biches à la course et elle les tue. Moi, je préfère les biches humaines et je leur enseigne la volupté, je ne les tue pas.

— Tu exagères comme toujours, sourit l'interpellée en relevant ses longs cils pour décou-

vrir des yeux d'un bleu sombre et profond. Je
ne chasse jamais les femelles, seulement les
cerfs et je leur laisse toutes leurs chances. Je
ne me sers que de mes propres jambes pour
courir après et je les tire à l'arc comme les
chasseurs indigènes. Et si je préfère me livrer
à ce sport pendant la nuit, c'est parce que je
suis sûre de ne rencontrer personne dans les
bois, les habitants de cette planète ne sont pas
nyctalopes comme moi.

— C'est peut-être dommage pour toi, la rencontre d'un robuste bûcheron te donnerait
peut-être d'autres idées. Quant à Paa-sédo, ce
gros bonhomme noiraud presque aussi imposant que votre Ephraïm, il aurait dû naître
poisson. Il ne sort d'ici que pour aller rejoindre
la côte et se promener des heures durant au
fond de la mer. Tous les pêcheurs le connaissent et le prennent pour le dieu de l'élément
liquide.

L'Ouryen ainsi désigné se leva à son tour
avec une paisible souplesse, il n'était nullement
adipeux comme l'avait humoristiquement insi-
nué le maître de céans mais seulement remarquablement musclé et, avec sa peau luisante et
fortement hâlée, ses cheveux noirs et drus, il
ressemblait en effet au maître technicien.

— Je suis heureux de voir enfin un homme
digne de ce nom, fit-il. Ephraïm, vous savez
respirer sous l'eau ?

— Oui, bien sûr, la technique de la respiration aqueuse était connue chez nous depuis
un bon siècle, bien que tout le monde n'y soit
pas également apte. Pour moi, je tiens facilement trois heures.

— Je vous apprendrai à faire mieux, c'est uniquement une question de bonne assimilation de l'oxygène dissous et de l'élimination de l'acide carbonique. Vous verrez comme la flore et la faune sous-marines de ce globe sont belles, on y passerait des journées entières...

— Ah, non ! s'exclama Djess. Tu ne vas pas entraîner ton nouvel ami à mener le même genre d'existence que toi, les autochtones ne comprendraient plus. Vous réalisez, enchaîna-t-il à l'adresse des Terriens, nous nous devons tous de conformer nos actes à nos comportements individuels et d'accuser vis-à-vis de la population locale nos différences, plutôt que nos communautés de goût ou d'intérêt. Chaque fois que nous séjournons sur une planète où existe une civilisation humanoïde au stade primitif — ce sont d'ailleurs les seules qui nous intéressent et aussi les plus nombreuses — il est inévitable que nous soyons considérés comme des dieux ; c'est la moindre des choses que nous présentions à ces esprits frustes des images bien nettes, des archétypes en quelque sorte. Artmè est la déesse de la chasse, Diéno le dieu du vin et du défoulement sous toutes ses formes, mais il ne peut y avoir deux divinités de la mer, Paa doit conserver seul ce privilège puisque c'est lui qui a commencé et que les divinités immortelles sont, par définition, inamovibles. Vous, Ephraïm, vous avez bien une autre spécialité en dehors du sport subnautique ?

— Je suis maître technicien, c'est-à-dire que c'est moi qui entretiens et qui répare notre vaisseau. Lors de notre première escale sur une île de cette mer, je me suis amusé à enseigner aux indigènes l'art de la fabrication du bronze.

— Mais c'est parfait ! Vous serez le dieu des métaux et des forges. Vous pourrez, par exemple, révéler l'usage du fer à vos adorateurs.

— Je crains que ce ne soit un peu prématuré, émit Paola. Dans notre histoire, le fer n'apparaîtra que dans plus d'un millénaire et, faute de précédent, nous ignorons les conséquences que pourrait entraîner une modification de cette importance dans notre passé. Ce pourrait être dangereux...

— Je vous comprends très bien, ce n'était du reste qu'une simple suggestion. Alors disons l'art de dorer le bronze. Cette race paraît posséder déjà un sens poussé de l'esthétique. Il faut l'encourager en lui offrant de nouveaux modes d'expression. Pour vous également le même genre de problème se pose, vous ressemblez physiquement beaucoup à Artmè...

— Je ne suis pas particulièrement douée pour la chasse et en tout cas je ne briguerai pas son titre. Quant à mon activité normale d'astro-physicienne et de navigatrice, je ne vois pas trop ce qu'elle viendrait faire chez un peuple primitif. Ne me dites pas que je pourrais leur enseigner l'astronomie ; d'après notre mythologie, c'est une simple muse qui s'en est chargée, pas une déesse.

— Paola est de loin la plus sage de notre équipe..., remarqua Astrid d'un air faussement candide.

— Eh bien ! C'est parfait, la déesse de la

Sagesse, ça équilibrera un peu les fantaisies déchaînées de Diéno.

— Et les tiennes..., murmura Hyria.

— Pas d'allusions perfides, le maître des dieux ne peut être critiqué ! Pour Astrid, aucune difficulté, d'autant qu'en proclamant d'elle-même la qualité essentielle de sa camarade, elle reconnaît implicitement qu'elle ne la partage pas. Elle sera la déesse de l'Amour, il suffit de la regarder pour voir que cet attribut lui convient mieux qu'à toute autre.

— Vous pouvez y aller, approuva Paola, elle a déjà une remarquable expérience dans ce domaine. Il n'y avait pas un jour entier que nous avions atterri qu'une tribu tout entière l'avait déjà reconnue comme telle et lui avait voué un culte. Astrid adore ça...

— Si tu veux changer avec moi ? Non ?... Tu as raison, ton tour viendra bien assez tôt quand apparaîtront les prêtres qui renverseront mes statues et déclareront que le plaisir est une chose honteuse. Mais Ariel n'a pas encore reçu son trône, que faites-vous de lui, Djess ? Il va vous dire qu'il n'est qu'un simple militaire...

— Il sera donc le dieu de la Guerre. Je n'y avais pas pensé car ce genre de sacrifices sanglants est oublié depuis longtemps chez nous, mais il est ici en plein essor. Il faut que les autochtones puissent invoquer un dieu pour pouvoir s'entr'égorger avec la satisfaction du devoir accompli. Tout est en ordre, les rôles sont distribués, Olumpéa règne sur le monde plus grande que jamais... Hyria, qu'attends-tu pour faire apparaître les flocons de nekhtar et d'ambarssi afin que nous buvions à notre alliance ?

*
**

La vie libre et insouciante des Olympiens s'organisa sans effort, les nouveaux venus n'éprouvaient aucune peine à s'adapter à ce que leurs hôtes considéraient comme un jeu passionnant et à en éprouver le même plaisir — qu'auraient-ils du reste pu faire de mieux puisque la route du retour leur était fermée ? Les scrupules relatifs aux conséquences lointaines d'une intervention sur un rythme d'évolution ainsi que les risques inhérents au paradoxe temporel — modifier le destin de ses ancêtres et par suite le sien propre — étaient effacés. La mythologie dont ils étaient les créateurs ferait bel et bien partie du patrimoine terrien. La seule question qu'ils étaient en droit de se poser était de savoir ce qui se serait passé, si des touristes extrastellaires n'étaient venus séjourner en ce lieu et en cette époque, pour servir de base à une puissante religion qu'Athènes transmettrait à Rome et qui durerait près de trois mille ans, mais, et pour un cas particulier au moins, la preuve était faite que cette planète qui dominerait un jour tout un secteur de la galaxie avait, dans l'enfance de sa race, reçu des visites venues de ces mêmes étoiles qu'elle devait conquérir. Il ne restait plus qu'à jouer convenablement le jeu et ce n'était pas difficile, l'imagination des peuplades pré-hélléniques était plus que suffisante pour broder largement sur le thème offert par leur présence et leurs actions. Grâce aux harnais antigravifiques (ceux des Ouryens étaient très analogues à ceux de l'équipe terrienne, simplement beaucoup plus légers) ils pouvaient multiplier à leur gré les apparitions dans les vallées ou sur la côte et ils ne s'en privaient pas ; Ephraïm accomplissait consciencieusement sa tâche auprès des mineurs et des forgerons tandis qu'Ariel intervenait soit pour concevoir des glaives plus maniables ou des boucliers plus efficaces, soit pour apprendre aux jeunes guerriers à s'en servir. Astrid et Diéno s'étaient tout naturellement alliés, le rôle de la jeune biologiste complétait et corrigeait à merveille celui du joyeux Ouryen qui cherchait seulement son propre plaisir au travers des bacchanales qu'il organisait tandis qu'elle s'en était vite lassée et préférait donner à son enseignement un caractère plus intime et plus voluptueux qu'un bref assouvissement.

— Sans ta participation personnelle à tes rites, je croirais presque que tu deviens aussi sage qu'Artmè ! Tu finiras par renforcer la législation du mariage en interdisant l'adultère ou l'homosexualité.

— Sûrement pas ! Et la preuve est que je m'efforce de développer la caste de mes prêtresses qui ne sont au fond que d'expertes prostituées bénévoles. Mais je songe à l'avenir de la race qui m'a donné naissance, je voudrais éviter une trop grande dispersion génétique qui risquerait de multiplier les facteurs récessifs en amoindrissant les dominants. Les croisements sont nécessaires mais point trop n'en faut et tu en abuses. Et puis où est la notion de l'amour dans tes amalgames d'ivrognes mâles et femelles qui ne sont même plus capables de ressentir quoi que ce soit ? Garde ton principe d'une grande fête annuelle pour servir d'exutoire à tous les complexes et laisse-moi les cinquante et une autres semaines.

De leur côté, les autres se montraient plus rarement, sauf Paa-sédo qui descendait presque chaque jour mais uniquement pour disparaître sous les vagues et, de temps à autre, libérer un filet accroché dans les rochers du fond et surgir ruisselant d'eau et d'écume pour recevoir la bénédiction du pêcheur. Paola et Artmè, elles, s'étaient vite liées d'amitié, elles ne se ressemblaient pas seulement par le physique mais encore par le caractère réservé et se considéraient au fond comme les « intellectuelles » du groupe, ce qui signifie simplement qu'elles tenaient pour haute qualité le fait que chez elle le cerveau l'emportait sur les sens ; elles ne pouvaient concevoir que la voluptueuse Astrid, titulaire de trois doctorats et d'une agrégation, soit en réalité la plus équilibrée. Les deux séduisantes brunes préféraient donc s'isoler et ne descendaient pas souvent. Quant à Hyria, elle ne sortait pratique-

Il n'en allait pas de même pour Djess mais lui, il jugeait qu'il avait un rang à tenir et qu'il ne pouvait se mêler au peuple. Il menait ses propres expéditions d'une façon très personnelles qu'Hyria, bien qu'elle demeurât volontairement recluse sur le plateau suspendu,

semblait connaître dans ses moindres détails
et décrivait non sans quelque acrimonie.

— Il ne peut pas s'empêcher de me raconter ses exploits et je les trouve parfaitement
ridicules. Il lui faut toujours de la chair
fraîche, mais pas n'importe laquelle, les filles
qu'il honore de son attention ne doivent pas
être simplement jolies, il est indispensable
aussi qu'elles soient de haute naissance, le
Maître des Dieux ne choisit ses victimes que
dans l'aristocratie. Et quel mal il se donne
pour impressionner les pauvrettes et les réduire à sa merci ! Il s'amuse par exemple à
plonger directement au-dessus d'elles et les sur-
voler pour bien leur prouver qu'il descend du
ciel et il croit que ça lui donne une apparence
de majesté divine alors qu'avec sa longue robe
blanche battant tout autour de lui, il doit tout
bêtement ressembler à un gros cygne. Ou bien,
si le père de la pucelle est un roitelet sans
fortune, il fabrique au synthétiseur un sac de
pièces d'or qu'il laisse tomber en pluie sur
elle. Comment voulez-vous qu'elle lui résiste ?
Ou bien encore si la jeune personne est déjà
en puissance d'époux, il s'amuse à se coller
sur le visage un masque dermoplastique pho-
tocopié sur une image du mari afin qu'elle
croie que c'est celui-ci qui vient la rejoindre
dans sa couche ! C'est un procédé que je trouve
parfaitement immoral. Tant que ses fredaines
se passent à l'autre bout du pays, ça m'est
bien égal, mais c'est qu'il lui arrive quelque-
fois de les ramener ici ! Il a joué les aigles
pour enlever une certaine Ebé, mais ce n'était
qu'une petite cruche, il s'en est heureusement

vite lassé. Un autre jour c'était un jeune éphèbe de toute beauté que lui avait présenté Dénio,
un certain Kallimède, mais là Artmè et moi
nous nous sommes mises vraiment en colère
et avons exigé son renvoi, ce petit pédéraste
était purement passif et nous ne pouvions même pas en profiter... Il y a eu aussi l'épisode
de Hyô, celle-là était vraiment impossible, méchante, querelleuse, une vraie peau de vache !
Je l'ai lobolysée pour la rendre aussi inoffen-
sive qu'une génisse et elle est partie d'elle-
même, vous auriez dû la voir descendre l'al-
page en contemplant le ciel avec ses yeux bo-
vins, c'est tout juste si elle ne broutait pas
l'herbe au passage...

Dans le cours de la dizaine de mois qui
s'étaient écoulés entre la venue de la nef
ouryenne et celle des Terriens de la future Fédération, Djess avait certainement trouvé le
temps de se créer une réputation légendaire
et de vivre de nombreuses aventures dont les
échos ne s'effaceraient pas de si tôt ; mais jusque-là tout avait été en somme normal, personne n'avait pris ombrage de l'immixtion
d'êtres surnaturels dans l'existence quotidienne
et les autochtones tiraient au contraire une
légitime fierté d'avoir été choisis pour satisfaire aux caprices de ces puissances célestes,
ils étaient le peuple élu. Il y avait bien eu
l'incident de cette horde à demi sauvage qui
avait tenté d'escalader le mont Olumpéa pour
s'emparer des trésors de ses augustes résidents,
mais c'étaient des métèques de très mauvaise

réputation, des espèces de géants sanguinaires et pillards qui semaient la terreur dans les villages. Tout le monde avait exulté quand Djess avait lancé sur eux sa foudre et avait débarrassé le pays de leur indésirable présence. Les divins visiteurs pouvaient donc aller et venir partout en toute quiétude, même les maris ou les pères des belles séduites par Djess, même les femmes des époux qui fréquentaient trop assidûment les temples de Diéno et d'Astrid, tous les accueillaient avec vénération et s'enorgueillissaient de l'honneur qui rejaillissait sur eux. Il devait échoir à Paola et Artmè de connaître un autre sort et d'être entraînées dans une aventure qui faillit bien ébranler le trône de l'Olympe.

Ce soir-là, la chasseresse avait entraîné avec elle la jeune navigatrice dans l'une de ses expéditions au travers des épaisses forêts qui s'étendaient au flanc des contreforts du massif jusqu'au rivage. Paola n'appréciait guère le côté un peu cruel du sport favori de sa compagne mais elle aimait les longues courses dans la majestueuse solitude des bois sous la froide lumière de ses chères étoiles, et ne se fit pas prier. Toutes deux partirent donc après le dîner, traversèrent l'espace jusqu'à une clairière repérée la veille par Artmè, dissimulèrent dans un creux de rocher leurs harnais antigravifiques afin d'être plus libres de leurs mouvements, s'élancèrent dans l'ombre des hautes futaies.

Pendant les deux premières heures l'excursion se déroula sans incident, Artmè marchant en tête, flairant le vent, tendant l'oreille et étudiant le sol à la recherche de traces. Le terrain était en général assez déclive mais sans grandes inégalités et les troncs étaient assez dégagés pour permettre un passage facile, d'autant que la lune à son dernier quartier venait d'apparaître et compensait en partie l'infériorité de Paola sous le rapport de la vision nocturne. Après avoir fait se lever différents petits animaux que la chasseresse dédaigna, elle ralentit enfin, s'avança avec précaution, parvint à l'extrémité supérieure d'une petite clairière, s'arrêta, faisant signe à sa compagne de venir la rejoindre sans bruit. Au milieu de l'espace découvert et au-dessous d'elle une biche solitaire broutait paisiblement l'herbe drue.

— Voilà ce qu'il nous faut, souffla Artmè.

— Mais c'est une femelle ! Tu ne vas pas la tuer !

— Non, bien sûr, je vais seulement la suivre à la course. Elle rejoindra le reste de la harde et il y aura certainement un vieux mâle dans le nombre. Tâche de ne pas nous perdre. Si cela arrivait, tu n'as qu'à remonter à l'endroit où nous avons quitté nos équipements et m'attendre...

La seconde d'après, Artmè était debout et plongeait littéralement dans la clairière sans prendre davantage la précaution d'étouffer le bruit de ses pas. La biche ne fut pas longue à réagir. Elle pivota sur place et, rejetant la tête en arrière, fonça vers l'autre bout, s'en-

gouffra sous l'abri des arbres où sa poursui-
vante disparut à son tour. Paola n'hésita pas,
s'élança dans une course rapide et légère qui
s'accéléra de plus en plus au fur et à mesure
que l'excitation de la chasse la gagnait. Elle
dévalait, irrésistiblement emportée par son
élan, évitant de justesse les troncs et les racines saillantes, se guidant sur le faible son
des sabots de l'animal ou les craquements des
branches avec une sûreté dont elle ne se serait
pas crue capable. Son sens professionnel de
l'orientation jouait à plein, fortement aidé en
outre du fait que la piste ne semblait faire que
d'insignifiants crochets. La biche traquée sui-
vait en moyenne la ligne de la plus grande pente, s'enfonçant toujours plus bas et quand vint
le moment où la jeune femme trop distancée
n'entendit plus rien, elle continua néanmoins,
devinant intuitivement que la fuite se prolon-
gerait dans la même direction jusqu'à la lisière
inférieure de la forêt. Quelques minutes plus
tard elle déboucha brusquement hors du couvert et freinant sur un sol redevenu plat l'élan
qui l'emportait, vit qu'elle ne s'était pas trom-
pée.

Le ciel irradié de douce clarté lunaire s'étendait devant elle jusqu'à la limite de l'horizon
où il rejoignait la nappe immobile de la mer
argentée. La vertigineuse et grisante descente
l'avait amenée jusqu'au rivage qui se découpait
maintenant devant elle, à deux cents mètres à
peine. Mais tout ce tableau lumineusement élargi, elle ne l'enregistra que le temps d'un éclair.
A cinquante pas, une scène plus proche se révé-
lait et fixait son attention. Artmè était là, de-

bout, lui tournant le dos et, en face d'elle, la
biche également immobile, se serrait contre
une mince silhouette comme pour lui demander protection. Mais ce n'était pas un cerf et
encore moins un quadrupède, c'était un être
humain, plus précisément une femme drapée
dans une longue robe claire et cette femme,
tout en flattant d'une main le front de la biche
frémissante, regardait tour à tour Artmè qui
ne faisait aucun mouvement et Paola qui approchait lentement jusqu'à s'arrêter aussi côte
à côte avec la jeune Ouryenne. Alors, sans
prononcer une parole, l'inconnue les fixa encore pendant deux ou trois secondes puis, levant son autre bras, dessina dans l'air un grand
signe mystérieux. Ce fut comme si une sur-
puissante aura magnétique venait d'exploser
silencieusement au fond des rétines des deux
chasseresses. Le ciel, la terre, l'espace tout entier parurent s'embraser d'une insoutenable
lumière qui, au bout d'une inappréciable fraction de seconde, s'éteignit tout aussi instantanément qu'elle avait jailli pour faire place à
un noir opaque, total. Elles ne voyaient plus
rien. Elles ne sentaient plus rien. Elles ne savaient plus rien, même pas qu'elle s'étaient
abattues ensemble, comme fauchées par une
irrésistible poussée, qu'elles gisaient sur le sol,
figées dans une raideur cataleptique, comme
deux statues aux piédestals brisés...

Alors la femme repoussa légèrement la biche
qui se remit à brouter, fit un second geste et
quatre hommes sortirent d'un proche buisson
pour s'avancer vers elle d'une démarche raide,
saccadée, presque mécanique, faisant étrange-

ment songer à de grands automates. Ils éten-
dirent dans l'herbe une couverture, soulevèrent
sans effort apparent les deux corps rigides, les
allongèrent sur l'étoffe dont ils empoignèrent
chacun solidement l'un des quatre coins.

— Nous sommes prêts, Om'phala, firent-ils
d'une seule et même voix.

Elle approuva de la tête, alla se placer en
avant du groupe, traça un dernier geste. Aussitôt, tous les cinq, la femme et ses quatre ser-
viteurs, se détachèrent du sol, commencèrent
à s'élever, verticalement d'abord, puis obliquement, de plus en plus vite, de plus en plus
haut en direction du large et bientôt leurs silhouettes minuscules s'effacèrent dans la nuit
qui se refermait sur eux.

Le seul vivant qui, relevant par hasard la
tête, aperçut au-dessus de lui cette vision fantastique nimbée des reflets de la lune fut un
pêcheur ancré à quelques brasses des rochers.
Saisi d'une terreur religieuse il se hâta de détourner le regard.

— Les Erynns..., gémit-il en se tassant au
fond de la barque. Les Erynns qui emportent
les morts...

CHAPITRE VII

Quand, en se réveillant au matin, Astrid, Ariel et Ephraïm constatèrent que Paola n'était pas rentrée, ils n'éprouvèrent tout d'abord nulle inquiétude, les hasards de la chasse avaient pu entraîner les deux jeunes femmes très loin de leurs harnais de vol, un retard n'avait rien d'anormal. Le fait qu'Artmè manquât également paraissait une confirmation, un accident est toujours possible, mais il aurait été étonnant qu'il immobilisât les deux randonneuses en même temps et d'ailleurs la navigatrice n'avait pas oublié d'emporter son communicateur, elle aurait demandé du secours. Cependant, le temps passait sans qu'elle apparaissent et à la fin Ariel n'y tint plus. Il commença par lancer à plusieurs reprises des appels radio à sa camarade sans obtenir le moindre résultat, son récepteur demeurait obstinément silencieux. Réellement angoissé cette fois, il courut jusqu'à *La Vagabonde*, répéta inutilement les appels avec toute la puissance des émetteurs de bord tandis qu'il réglait le détecteur de localisation sur la fréquence des communicateurs portatifs et allumait l'écran. Pendant une longue minute il demeura penché sur l'image, fixant le spot qui venait d'apparaître et le superposant aux contours dessinés par le balayage du grand radar. Il se frottait les yeux, reprenait l'examen en concentrant toute sa volonté, s'efforçant de se persuader qu'il n'était pas le jouet d'une illusion. Enfin, le visage brusquement durci, il se redressa, rejoignit à grandes enjambées la nef ouryenne où tous ses compagnons étaient rassemblés dans le salon.

— Je sais où elles sont ! s'exclama-t-il dès l'entrée. C'est invraisemblable mais c'est un fait positif. Il faut absolument aller les chercher !

— Pourquoi ? sourit Hyria en haussant les sourcils. Elles ont perdu leurs équipements ?

— Je n'en sais rien, puisque je n'ai obtenu aucune réponse radio de Paola, mais son silence n'est pas mon seul motif d'inquiétude. Il est arrivé quelque chose d'incompréhensible. Savez-vous où elles se trouvent ? Nos communicateurs sont construits pour émettre en permanence une onde de veille de façon à permettre un repérage éventuel et, bien qu'elle ne l'utilise pas, celui de Paola fonctionne toujours. J'ai obtenu le spot de localisation, il se situe exactement sur une petite île à cent vingt kilomètres au sud-est de la côte ! En pleine mer !

— Elles se seront amusées à aller voir s'il y

a du gibier là-bas ? interrogea Djess d'un ton incrédule.

— Je ne sais pas si Artmè pousse parfois si loin ses excursions mais ce dont je suis sûr c'est que Paola ne l'aurait pas fait sans me prévenir et à aucun moment mon propre transcepteur ne s'est animé. Pour plus de sûreté j'ai repassé les enregistrements automatiques du vaisseau : ils sont vides.

— Oh ! les femmes sont souvent fantaisistes... Elles aiment changer de paysage. Si votre camarade ne répond pas, c'est qu'elles se sont déshabillées pour se baigner dans une crique.

— C'est tout ce que cette suite d'anomalies vous suggère ? Vous êtes bien indifférent au sort des vôtres ! Mais, je vous en prie, ne vous dérangez surtout pas, mes amis et moi-même sommes assez nombreux pour aller les chercher à l'aide de notre module de liaison. Nous pourrons même ne ramener que notre navigatrice si vous préférez que nous nous désintéressions des « fantaisies » d'Artmè !

— Ariel a raison de parler ainsi, fit Paa-sédo en se levant. Nous nous comportons vraiment trop en Ouryens, bien que nos compatriotes nous jugent autrement. Le respect de la liberté individuelle ne devrait pas aller jusqu'à l'indifférence. J'irai avec eux.

— Non, répliqua Djess en se dressant à son tour. C'est moi qui les accompagnerai. Tu as touché juste, Paa, nous devons secouer notre égoïsme et rejoindre ces deux imprudentes sans attendre d'être sûrs qu'il soit nécessaire de leur porter secours. De toute façon, je veux tirer la chose au clair. Pourquoi ont-elles décidé de se rendre si loin au large ? Car on ne les a sûrement pas enlevées. Non seulement elles sont capables de se défendre même contre une troupe de brigands mais, de plus, un bateau de pirates mettrait infiniment plus de quelques heures pour traverser cent kilomètres de mer.

— L'un d'entre vous suffira, fit Ariel en reprenant son calme. Du reste l'engin n'est pas assez grand pour nous contenir tous à la fois et nous n'allons tout de même pas décoller une nef pour un aussi court voyage.

L'Ouryen et les trois Terriens prirent donc place dans la petite bulle translucide qui s'éleva pour foncer vers la mer, guidée sur les coordonnées du spot qu'Ariel avait transférées sur les circuits du pilotage automatique. Volant à haute altitude et malgré la vitesse volontairement limitée pour mieux observer, ils ne tardèrent pas à distinguer sur l'immense surface violette les taches colorées des îles éparses de l'archipel des Sporades. Mais, en regardant plus attentivement, Ariel fronça les sourcils.

— Bizarre, murmura-t-il, il manque une île... Tenez, regardez, je superpose la carte sur l'écran, le spot apparaît nettement à gauche de la dernière.

— Il y a comme un nuage sur la mer à cet endroit-là, commenta Ephraïm. Un gros paquet de brouillard posé sur l'eau. C'est vraiment étrange, en effet. Le ciel est clair et la vue dégagée jusqu'à l'horizon.

Reprenant les commandes manuelles, le pilote diminua encore la vitesse, amorça la descente droit vers la masse de grisaille. Au fur et à mesure qu'ils approchaient, cette curieuse nébulosité semblait s'épaissir, devenir plus sombre et plus opaque puis, soudain, un éclair le sillonna. Un second, d'autres encore qui se multipliaient en se ramifiant.

— Ça alors ! s'exclama Djess, c'est bien la première fois que je vois ça. Un orage isolé sous un ciel parfaitement limpide et qui se déchaîne juste au ras de l'eau. Si cette race n'était pas aussi primitive on croirait presque qu'elle a découvert le principe des fulgurateurs, mais il faudrait qu'elle ait aussi inventé les nuages artificiels par la même occasion.

— Primitive ou pas, vous ne nierez pas que ce phénomène n'a rien de naturel et il me déplaît fortement que Paola se trouve là-dessous. Météore électrique ou non, je fonce au travers pour atterrir. Ne vous inquiétez pas, le module est à l'épreuve de la foudre et l'écran laser nous assurera une bonne vision du sol malgré la densité de la brume. Je me poserai près du point indiqué par le spot qui continue à se dessiner en plein milieu.

La manœuvre s'exécuta sans la moindre difficulté, il n'y avait pas même de vent ni d'ascendances thermiques à l'intérieur du nuage et ils en avaient à peine traversé la moitié que les éclairs cessèrent de luire et que, avec une extraordinaire rapidité, le brouillard s'éclaircit, s'effilocha, se désintégra pour laisser réapparaître le soleil et la mer étincelante où couraient paresseusement de lentes vagues. L'île

sa peau, la forme du visage et des grands yeux verts en amande aux iris de nuit liquide, le fin sari bordé qui l'enveloppait tout entière en dessinant avec une onduleuse précision sa silhouette élancée, tout en elle évoquait le charme brûlant du pays des Védas. Elle traversa lentement la terrasse, vint s'arrêter devant eux, les contempla longuement avec un énigmatique sourire. Enfin elle parla d'une voix à la fois profonde et musicale.

— Vous avez osé venir jusqu'à moi malgré les avertissements du ciel. J'admire votre inconscience... Vous devez pourtant savoir que cette île sur laquelle moi, Om'phala, je règne, est celle du Nirvâna ? Nul n'y aborde si je ne l'ai appelé ou amené. Nul ne la quitte s'il y est entré.

Vos coutumes locales ne nous concernent pas ! répliqua Djess en se redressant de toute sa taille majestueuse. Nous sommes venus chercher deux de nos compagnes, deux Olympiennes. Nous savons qu'elles sont ici et certainement vos prisonnières sinon elles seraient déjà venues à notre rencontre.

— Celles que vous nommez Paola et Artmè ? Il est vrai qu'il m'a plu de les amener dans mon domaine mais elles ne sont nullement enfermées dans un quelconque cachot. Tenez, voyez-les là-bas, assises côte à côte. Elles ne vous regardent même pas, vous n'êtes plus rien pour elles. Appelez-les, elles ne viendront pas. Approchez-vous d'elles, elles s'enfuiront... Vous venez les chercher, vraiment ?

Le regard des astronautes se porta dans la

direction indiquée et, malgré la distance, ils
reconnurent effectivement les deux jeunes femmes que les longues robes grisâtres qu'elles
portaient maintenant à la place de leurs blanches tuniques avaient rendues méconnaissables
au premier abord. Adossées au mur, elles
fixaient le paysage d'un regard vide et rien,
ni la coque étincelante du module, ni la présence de leurs amis debout à trente mètres
ne paraissait éveiller en elles le moindre intérêt. Ce n'étaient plus que deux statues immobiles perdues dans l'inaccessible contempla-
tion.

Le sourire d'Om'phala s'accentua puis s'éteignit subitement. Son visage se figea, se trans-
forma en un masque d'une dureté hiératique.
Elle tendit le bras, dessina de sa main effilée
une lente arabesque.

— Vous avez voulu venir, je vous accepte,
soyez désormais mes esclaves. Toi, Djess, qui
te disais le maître, tu seras mon serviteur. Va
dans ma maison et attends mes ordres.

Un bref frémissement parcourut le corps de
l'Ouryen dont les muscles se raidirent pour se
relâcher aussitôt. Sans un mot il inclina la
tête, se mit en marche d'un pas raide, disparut dans la pénombre de l'entrée. Avec une
lueur d'orgueil dans ses yeux sombres, la magicienne enchaîna.

— Toi, Ariel, tu me plais, avec ta peau blanche et tes prunelles d'azur. Va aussi dans la
maison, trouve la chambre et déshabille-toi...
Toi, Ephraïm, tu es fort, bien bâti, tu m'inté-
resses aussi, mais ton tour viendra plus tard.

Pour le moment, rejoins là-bas mes servantes, elles t'apprendront à filer la laine et à tisser le lin, cela me distraira de voir une brute comme toi s'occuper de travaux féminins.

Elle suivit du regard les deux hommes qui, sans la moindre réaction, obéissaient à ses ordres comme des robots sans âme ni pensée. Quand ils eurent disparu elle se retourna enfin vers Astrid.

— Toi, ma jolie déesse de l'Amour, je te réserve un autre rôle. Il suffit de te regarder pour voir que tu es experte dans l'art de la volupté, certainement beaucoup plus que tes deux sœurs. Tu serviras au délassement de ceux de mes esclaves auxquels je n'aurais pas décidé d'accorder mes propres faveurs. Va dans la troisième maison.

La séduisante biologiste secoua doucement la tête, dédia à la brune magicienne son plus lumineux sourire.

— Tu ne crois pas, Om'phala, que nous ferions mieux de bavarder gentiment toutes les deux ? Tu es remarquablement douée dans le domaine des sciences secrètes, mais tu as encore quelques petites choses à découvrir...

Saisissant le bras de l'Hindoue paralysée de stupeur, Astrid l'entraîna vers la longue façade éblouissante de blancheur sous le vibrant métal bleu du ciel.

Le glisseur aérien ne repartit qu'à l'heure où les ombres des cyprès s'allongeaient sur la prairie et seul le regard de la magicienne suivit le fuseau transparent jusqu'à ce qu'il s'ef-

face dans les profondeurs mauves ; les esclaves
indifférents continuaient d'aller et venir comme si rien ne s'était passé. A l'intérieur du
module se tassaient maintenant six passagers.
Artmè et Paola bien réveillées et à nouveau en
pleine possession de leur conscience étaient
du nombre et contemplaient le paysage qui dé-
filait au-dessous d'elles avec le regard incrédule et encore à demi embrumé d'êtres brusquement arrachés à un cauchemar. Ce même
regard se retrouvait chez les autres, sauf pour
Ariel, instantanément repris par ses réflexes
professionnels de pilote et naturellement pour
Astrid, tous étaient encore incapables de parler et même de réaliser vraiment ce qui leur
était arrivé ; ce ne fut que lorsqu'ils se trouvèrent rassemblés dans la sécurisante ambiance et le cadre familier de la nef ouryenne
que les questions commencèrent à pleuvoir.

— C'était vraiment une passionnante expérience, fit Astrid, et personnellement, j'aurais
été navrée de l'avoir manquée. Je savais que,
dans son passé actuel, la civilisation hindoue
était sous certains aspects très en avance sur
celle de la Méditerranée, mais je n'imaginais
pas que ce fût à ce point. Je parle d'une certaine caste, bien entendu, celle des prêtres
et non du peuple dans son ensemble. Les secrets de la connaissance étaient réservés aux
initiés — la lumière sous le boisseau — ce
qui est d'ailleurs fort sage ; l'histoire est là
pour démontrer que lorsque la science est mise
à la portée de tous, il en résulte toujours plus
de mal que de bien. Sur notre planète, le pre-

mier mauvais génie de l'humanité a été l'empereur Charlemagne, inventeur de l'école publique et son œuvre néfaste a été aggravée par Gutenberg...

— D'accord, coupa Ariel, mais je t'en prie, ne nous fais pas un amphi, reste dans ton sujet.

— Je rappelais simplement que les Sages de l'Inde avaient très tôt pressenti les immenses possibilités que recèle notre cerveau et, en joignant la recherche méditative à l'expérimentation, avaient su libérer ses forces et s'en rendre maîtres. Hypnotisme, suggestion poussés jusqu'à la domination intégrale n'étaient que les premiers pas de la parapsychologie tout comme la perception extrasensorielle, la lecture de la pensée et la vision à distance. Mais ils ont été plus loin, jusqu'à la lévitation et la téléportation, des phénomènes bien réels que le développement du matérialisme puis de la technologie feront oublier ensuite et qu'on recommencera à peine à découvrir à notre époque.

— Nous aurions donc été transportées jusqu'à l'île par ce moyen ? interrogea Paola.

— Endormies d'abord par obnubilation magnétique puis en effet transportées comme de simples colis ; la volonté d'Om'phala annihilait la pesanteur et guidait le déplacement vers le point où elle désirait se rendre et cette volonté était assez puissante pour englober dans son champ ses quatre esclaves et vous-mêmes. Arrivées là-bas vous demeuriez définitivement sous son empire, vous étiez privées d'individualité et de réaction personnelle, vous n'étiez plus que des automates soumis à ses ordres ou à ses caprices. Aussi longtemps qu'elle le voudrait et probablement pour toujours.

— J'ai lu les récits homériques se rapportant à Omphale, reprit Paola, celle que d'aucuns appellent aussi Circé, mais la guerre de Troie et les mésaventures d'Ulysse n'auront lieu que dans quinze ou dix-huit siècles !

— C'est bien possible, mais qu'est-ce que cela change ? Quand on a réussi à libérer toutes les énergies cachées dans l'organisme, on doit pouvoir facilement se régénérer et devenir pratiquement immortelle. Elle m'a dit que son arrivée sur l'île datait déjà de trois cents ans et j'ai tendance à la croire. De toute façon, le don de rajeunissement paraît beaucoup moins étonnant que celui de la lévitation, nous avons nous-mêmes accompli de notables progrès dans ce sens en triplant notre moyenne de longévité et rien ne s'oppose en théorie à ce que nous allions beaucoup plus loin.

— Nous avons obtenu mieux, agréa Djess, le double au moins sinon davantage. Mais je ne suis pas tellement sûr que ce soit le secret du bonheur. Pour en revenir à notre mystérieuse magicienne, comment se fait-il qu'elle soit venue s'installer si loin de son propre pays ? Je veux bien admettre que la téléportation lui permette de parcourir des grandes distances, mais elle ne fait pas du tourisme comme nous, puisqu'elle semble s'être établie à demeure.

— Elle est exilée. D'après ce que j'ai compris, ceux de sa caste l'ont chassée parce qu'elle abusait de ses pouvoirs et les utilisait pour des buts personnels : la puissance, la domination... Etre rejetée par une caste est le pire châtiment. Il lui était impossible de rester plus longtemps dans son peuple et elle a choisi pour y vivre cette région qui ne lui offre que des avantages : douceur d'un climat qui se rapproche du sien, présence d'un groupement ethnique primitif où personne ne pourrait s'opposer à elle. Elle n'est d'ailleurs pas tellement méchante au fond, elle n'a même pas cédé à la tentation de devenir la maîtresse absolue des races méditerranéennes, ce qui pourtant lui aurait été facile. Elle se contente de quelques poignées d'esclaves pour lui servir de domestiques ou de jouets.

— Elle s'en est quand même pris à nous ! protesta Artmè.

— Pour deux raisons. La première était l'apparition de cet Olympe imaginé par Djess l'existence à proximité d'elle d'être surhumains et se prétendant d'essence divine avait excité sa jalousie et lui paraissait en outre blasphématoire sinon sacrilège. Il ne peut y avoir d'autres divinités que celle du Panthéon hindou. Elle a voulu se prouver à elle-même qu'elle demeurait supérieure à nous et que nous n'étions, par conséquent, que de simples hommes ou femmes.

— Mais toutefois infiniment plus évolués que les indigènes ! fit Ariel. Ça ne l'a pas étonnée ?

— Non. Elle a tout de suite pensé que nous devions venir d'une autre planète plus ancienne que la Terre, la cosmogonie des Sages himalayens est remarquable. Notre passé étant plus long, il était normal que nous en soyons venus à inventer des bateaux capables de naviguer dans l'espace, ce n'est jamais plus qu'un grand océan.

— Tu disais que l'enlèvement avait un second motif ? rappela Ariel.

— Nos deux compagnes poursuivaient une biche avec l'intention évidente de la mettre à mort pour leur seul plaisir. En dehors des nécessités de la nourriture, toute vie est sacrée, même et surtout animale. Que les hommes s'entre-tuent si ça les amuse, ils sont responsables de leur propre karma, mais la vie des bêtes doit être respectée. Du reste, les autochtones ne chassent que pour manger, pas pour la joie de détruire.

— Mais je ne voulais pas tuer cette biche ! Je voulais seulement qu'elle me conduise jusqu'au mâle dont j'aurais ensuite donné la dépouille aux chasseurs.

— Elle n'était pas obligée de le savoir. A ses yeux vous ne pouviez poursuivre cette bête que pour l'abattre et vous vanter de votre adresse. Peu importe, j'ai rétabli les faits.

— Il est curieux, reprit Djess, que cette Om'phala ait accepté de discuter avec vous au lieu de vous réduire immédiatement à l'impuissance comme elle l'a fait pour nous. Quelle fantaisie l'a amenée à vous épargner et ensuite à vous écouter jusqu'à se laisser persuader de nous libérer ?

— Ne croyez pas cela ! Son envoûtement était aussi bien dirigé sur moi que sur vous tous. La seule différence est que j'y étais complètement réfractaire et je vous jure qu'elle a fait une drôle de figure lorsqu'elle a vu que non seulement je refusais d'obéir aux ordres — elle avait à mon égard des intentions parfaitement humiliantes — mais que je me moquais franchement d'elle. Quand elle a compris qu'elle ne pouvait rien contre moi, je lui ai dicté mes conditions, très raisonnables du reste. J'exigeais seulement qu'elle vous libère tous les cinq. Elle pouvait garder les autres et continuer à régner sur son île. Si elle refusait, je la détruisais sans pitié.

— Evidemment, la peur de la mort est d'autant plus grande que l'on prétend être immortel, elle a vite cédé...

— Il ne s'agissait pas de cela ! Si j'avais seulement menacé de la tuer, elle n'aurait fait que hausser les épaules, d'abord parce qu'elle croit avec une certitude totale à la doctrine des réincarnations et que mon acte lui aurait donné l'occasion d'une renaissance plus haute, ensuite parce qu'elle savait bien que, elle morte, nul ne pouvait vous ramener à la conscience ; vous seriez demeurés définitivement des zombies. Mais quand je lui ai montré mon arme et que je lui en ai expliqué le fonctionnement, elle a eu vraiment peur. Aucune force de la pensée, si grande soit-elle, ne peut détourner ou neutraliser un faisceau neurolytique. C'était son cerveau que j'allais liquéfier en ne respectant que les fonctions vitales végétatives, elle aurait continué à vivre mais comme une bête privée à jamais de toutes ses facultés et de ses pouvoirs. Cela, elle ne pouvait le supporter.

— Surtout en tenant compte de ses croyances karmiques, approuva Paola. Tu lui faisais redégringoler l'échelle des cycles presque jusqu'en bas et il lui faudrait au moins un million d'années pour la remonter, traverser des dizaines de milliers d'existences successives dans les stades inférieurs... Je comprends qu'elle se soit soumise à ton ultimatum.

— Je lui laissais en contrepartie des compensations puisque je ne lui interdisais pas la poursuite de ses chères activités. Je lui ai même révélé l'avenir, elle comptera au nombre de ses sujets des hôtes beaucoup plus intéressants que nous : des demi-dieux comme Hercule et des héros comme Ulysse ou Enée. Je vous assure que nous nous sommes quittées très bonnes amies.

— Heureusement que tu étais là, soupira Ariel, et que tu t'es révélée aussi forte qu'Om'phala. Mais j'ignorais qu'on enseignait la magie dans les facultés de médecine...

— Disons plus simplement la parapsychologie. C'est une branche à laquelle je me suis toujours beaucoup intéressée. Dès le début de cette histoire, j'ai assez vite flairé que quelque chose d'analogue était en jeu, l'absence de réponse-radio alors que le communicateur était en bon état puisqu'on le repérait signifiait que Paola ne pouvait plus parler et qu'elle était donc inconsciente. Seulement ce ne pouvait être à la suite d'une chute dans les rochers sinon le transcepteur aurait été brisé. Puis ce déplacement jusqu'à l'autre bout de l'archipel. Elle ne l'aurait pas entrepris sans nous en avertir et il avait été trop rapide pour un enlèvement à bord d'un bateau. L'hypothèse de la téléportation se dessinait. La concentration de brouillard et le déchaînement d'un orage étaient autant de confirmations. C'étaient des manifestations élémentaires dont même de simples sorciers sont capables, à plus forte raison un initié. A partir de là, j'ai pris mes précautions et j'ai absorbé une substance chimique qui a la propriété de bloquer une partie de l'encéphale, celles qui est sensible à la suggestion hypnotique ; les émissions psychiques d'Om'phala se heurtaient donc vraiment à des neurones inactivés tandis que la moitié de cerveau qui me restait suffisait pour maintenir toutes mes facultés intactes. Je n'étais pas plus forte qu'elle, sinon par la supériorité technique de mes armes, j'étais seulement immunisée. L'anesthésie sélective provoquée par le produit ne dure que quelques heures mais j'en avais sur moi une réserve me permettant de tenir aussi longtemps que cela serait nécessaire et je n'ai même pas eu besoin d'une seconde dose.

Djess s'inclina très bas, baisa respectueusement la main de la jeune femme.

— Sauvé du néant pire que la mort par la déesse de l'Amour..., murmura-t-il. Peut-il exister au travers de toutes les galaxies plus merveilleux symbole ?

CHAPITRE VIII

Ce fut peu après la dangereuse apparition d'Om'phala que les Ouryens décidèrent de mettre un terme à leur séjour olympien. Ce jeu qui durait maintenant depuis presque deux années les avait suffisamment amusés et il ne manquait pas au travers du cosmos d'autres planètes où ils pourraient le recommencer dans des cadres nouveaux et des conditions différentes, même les meilleures choses doivent avoir une fin. Surtout cette rencontre avec une magicienne douée d'étranges pouvoirs avait modifié le sens de l'aventure. Tant qu'ils n'avaient affaire qu'à des races primitives ils pouvaient trouver une justification à leur passe-temps favori : le fait qu'ils soient infiniment supérieurs aux aborigènes tout en étant physiquement semblables à eux, sensualité et appétit compris, créait chez leurs fidèles le désir inconscient de les égaler et devenait un nouveau moteur d'évolution. Mais, à partir du moment où, sur ce monde, existait déjà une race qui avait été capable d'aller très loin, bien que par des moyens et pour des buts tout autres, la situation n'était plus la même. Deux cadences, l'une matérielle l'autre exclusivement spirituelle, risquaient de se heurter avec des conséquences imprévisibles. Ariel et son équipe ne se faisaient d'ailleurs pas faute de souligner ce danger en s'appuyant sur leurs souvenirs du futur. Les multiples incursions des hordes asiatiques sur l'Occident seraient suffisamment néfastes, il était peu indiqué de leur donner l'occasion d'entreprendre leurs raids trente-cinq siècles avant Attila et cela pouvait parfaitement se produire si les Maîtres des plateaux altaïques prenaient ombrage de la présence d'inquiétants rivaux. En réalité, ce n'étaient pas les conséquences d'un paradoxe temporel qui préoccupaient Djess et ses compagnons, les éventuelles péripéties de la civilisation terrienne ne les touchaient nullement, mais ils ne tenaient pas à s'exposer à d'inutiles périls et à vérifier par eux-mêmes si les ressources de la science moderne seraient toujours capables de lutter victorieusement contre celles de la magie. Comme l'avait dit ce même Djess, il y avait très longtemps qu'ils avaient oublié l'art de la guerre et ils n'avaient pas la moindre envie de le redécouvrir sur un pareil terrain.

— Où comptez-vous aller en partant d'ici ? interrogea Ariel. Au hasard, jusqu'à ce que vous ayez découvert un autre monde à votre convenance ?

— Il n'en manque pas. Le simple fait que l'enfance d'une évolution humaine dure au minimum cent mille fois plus longtemps que sa maturité démontre que nous avons également cent mille fois plus de chances de rencontrer des races primitives plutôt que des civilisations avancées. Toutefois pour le moment nous ne nous lancerons pas dans une nouvelle exploration, nous retournerons chez nous, sur Ourya, jusqu'à ce que le désir nous prenne d'en **repartir.**

— Nous permettriez-vous de vous y accompagner ?

— Pourquoi pas ? Ce serait au contraire avec un très grand plaisir que nous y accueillerions votre visite. De toute façon, même si l'amitié n'était pas née entre nous, vous avez acquis des droits à notre reconnaissance. Sans vous, sans Astrid particulièrement, nous perdions définitivement Artmè puis, quand l'un de nous se serait décidé à partir à sa recherche, le même sort lui serait advenu et ainsi de suite jusqu'à ce que nous soyons tous les cinq changés en robots pour le reste de notre existence. Venez donc, ça vous fera du bien de vous retremper dans un milieu analogue à celui de votre origine. C'est très amusant de vivre avec des sauvages et de s'en faire adorer, mais à condition que ça ne dure qu'un temps.

C'était bien ce sentiment qu'éprouvait l'équipage de *La Vagabonde* et qui avait justifié la demande, même le prétexte d'étudier la proto-histoire de leur propre race n'était qu'un illusoire dérivatif ; le brutal arrachement au mon-

de auquel ils avaient toujours appartenu refusait de se cicatriser. Cette condamnation à une
définitive relégation dans le passé devenait parfois insupportable même s'ils n'acceptaient pas
encore de le reconnaître et s'efforçaient de
s'étourdir le plus possible en usant et abusant
des plaisirs que leur offrait leur toute-puissance sur leurs très obéissants sujets. La rencontre avec les « touristes » ouryens avait apporté une sensible rémission malgré certaines
différences de mentalité, ces trois hommes et
ces deux femmes étaient, sinon leurs semblables, du moins très proches par l'évolution.
L'Olympe représentait un microcosme dans lequel ils se sentaient revivre. Mais si les extra-
terrestres devaient s'en aller, les quitter, alors
c'était l'équivalent d'une nouvelle chute en arrière, une véritable régression ; ce serait comme s'ils avaient été une seconde fois rejetés
au fond de l'abîme. De toute façon, ils seraient
repartis aussi vers de nouvelles aventures au
travers des étoiles, mieux valait se lancer à la
découverte de mondes et d'êtres totalement
différents que de s'attarder sur cette planète
qui était la leur, et où chaque détail leur évoquait ce qu'elle serait quand ils étaient nés :
ce minuscule hameau où Paola aimait souvent
à se rendre et où Phidias sculpterait un jour
les frises du Parthénon, cette mer dont les ri-
vages verraient s'épanouir leur civilisation et
qui, pour l'instant, s'illuminait en une longue
traînée d'argent sous le reflet de cette lune
dont la conquête préluderait à l'immense expansion dans le cosmos. Partout ailleurs, au

fond des constellations, tout serait autre. Le soleil serait peut-être bleu ou rouge, le ciel jaune ou vert, rien de ce qui les entourerait ne leur rappellerait ce qu'ils avaient perdu et tant qu'à changer de cadre, pourquoi ne pas choisir celui de leurs amis pour commencer et remonter ainsi dans l'échelle du progrès, puisque celle du Temps leur était fermée. Et puis l'incurable espoir était toujours présent en eux ; la technologie ouryenne apparaissait plus avancée que la leur, à en juger par cette nef qu'ils connaissaient maintenant dans ses moindres détails. Peut-être leur science de la navigation paradimensionnelle était-elle également plus complète et leur apporterait des éléments qui... Mais les rêves sont dangereux et les déceptions cruelles. Ils s'interdisaient de croire que, là-bas, les savants avaient réalisé l'impossible et, du reste, une constatation déconcertante semblait leur donner raison. Parmi les cinq membres de l'équipage de ce vaisseau, aucun ne paraissait posséder la moindre qualification en matière d'astronautique. Il n'y avait ni pilote ni navigateur ni technicien. Ils affichaient à l'égard du fonctionnement des générateurs d'énergie, des propulseurs ou de l'équipement de leur engin cette même souveraine indifférence qui formait le trait essentiel de leur caractère. Toutes les machines qui les entouraient étaient conçues pour un automatisme intégral et sans défaillance, ils n'avaient donc pas à s'en occuper et ils avouaient même sincèrement que si par un invraisemblable hasard, elles venaient à s'arrêter, ils seraient incapables de les réparer. Pour les Terriens, pareille attitude était difficile à concevoir, mais elle était bien réelle et il restait seulement à souhaiter que, dans leur monde, d'autres qu'eux portent plus d'intérêt aux choses de la science, ne seraient-ce que les constructeurs d'hypernefs.

En tout cas, ce défaut de connaissances techniques chez Djess et ses camarades posa dès l'abord un sérieux problème, celui de la route à suivre pour atteindre Ourya, c'est-à-dire de la position précise de celle-ci dans la galaxie. L'indication « dans le tiers du Bras spiral Nord... » n'avait rigoureusement aucune valeur, elle pouvait concerner quelques dizaines de millions d'étoiles. Il fallait des coordonnées poussées au moins à la cinquième décimale. Mais comment les obtenir ? La nef extra-terrestre ne possédait aucune carte d'ensemble tridi, *La Vagabonde* non plus du reste, et même s'il y en avait eu, il aurait fallu qu'elle mesurât au moins un kilomètre de long pour qu'on puisse pointer exactement une étoile particulière, et encore... Il y avait bien dans les mémoires du maître-ordinateur du vaisseau terrien un très grand nombre de graphiques figurant chacun un secteur limité — en tant qu'affectée aux missions de reconnaissances lointaines, la vedette détenait une riche documentation couvrant en presque totalité les deux Bras spiraux — mais chacune de ces représentations fragmentaires était construite selon une projection rapportée au système de Sol. Les constellations qui s'y inscrivaient n'avaient donc rien de commun avec celles que les Ouryens

voyaient d'un tout autre angle dans leur propre ciel ; c'était comme si on leur avait demandé d'identifier un individu dont ils ne connaissaient que le visage en leur montrant une photo prise de dos. Seules de véritables coordonnées cosmographiques pouvaient être de quelque utilité ; ils en avaient bien toute une liste
mais les symboles employés, vecteurs, valeurs
angulaires, paramètres n'étaient pour Paola
que des signes indéchiffrables. Non seulement
elle ignorait leurs équivalences dans son langage mathématique, mais à quel point de référence se rapportaient ces abcisses et ces or-
données ? Probablement à l'étoile autour de
laquelle orbitait la planète cherchée, mais cela
ne faisait qu'engendrer un cercle vicieux : comment déterminer une position lorsque la seule
référence qui puisse servir de base aux calculs
est justement cette même position ? Par-dessus
le marché, les unités n'étaient pas les mêmes,
on devait commencer par les traduire. Par
exemple, l'année-lumière ou le parsec sont dé-
terminés par rapport au diamètre de l'orbite
terrestre, l'heure, la minute ou la seconde sont
des fractions de la rotation diurne de la Terre,
les mesures de distance et de temps étaient
donc logiquement différentes pour Ourya dont
la trajectoire et les vélocités ne pouvaient être
rigoureusement identiques à moins d'une invraisemblable coïncidence. Il fallait donc tout
retraduire à partir de constantes véritablement
universelles et invariables telles que la longueur d'onde de l'hydrogène ou la fréquence
de rayonnement d'un atome caractéristique et

ce n'était pas un mince travail auquel pourtant Artmè apporta une contribution aussi importante qu'inattendue. Ce jeu de décryptement l'avait immédiatement passionnée et elle y mettait toute son ardeur, retrouvant au fond de sa mémoire des données depuis longtemps oubliées, en assimilant d'autres, et formant avec Paola une remarquable équipe de chercheurs. Ce fut elle qui découvrit dans le fouillis des cartes le premier élément significatif, la première clé de la serrure, en reconnaissant brusquement une planète sur laquelle elle s'était déjà rendue à l'occasion d'un précédent voyage et que la navigatrice identifia à son tour d'autant plus aisément qu'il y avait là — qu'il y aurait là — une petite base des Forces Spatiales de la Fédération : Lambda du Centaure. Cela faisait donc déjà deux points communs entre les deux cosmographies : la Terre elle-même et cette étoile ; quelques-uns des symboles se juxtaposaient. Sans le savoir, les calculatrices avaient retrouvé la méthode de Champollion, isolant une cartouche commune à deux textes pour réussir enfin à interpréter l'écriture hiéroglyphique et, comme lui, elles progressèrent jusqu'à ce que le tableau entier soit décrypté.

— Vous comprenez, fit Djess, je ne pouvais vraiment vous être d'aucune aide. Tout ce que je fais, lorsque je veux me rendre quelque part, c'est de frapper une série de touches, l'ordinateur se débrouille ensuite.

— Ariel fait exactement la même chose, il voulait seulement savoir quelle touche il devait

frapper, lui. Evidemment, il aurait été beaucoup plus simple que nous nous suivions à vue
tout le long du trajet, malheureusement dès
l'entrée dans le continuum nous vous perdrions
irrémédiablement ; plus rien ne passera entre
nous, ni vision ni autre procédé de détection.
Nous ne pouvons que nous donner rendez-vous
là-bas.

— **Tu es bien sûr que nous y arriverons ?**
s'inquiéta Astrid.

— **Pas de danger, puisque je possède maintenant à la fois les coordonnées du départ et
celles du but, nous suivrons forcément la sécante actuelle.**

— **Oh ! ce que j'en disais !... Au point où
nous en sommes, que nous arrivions n'importe
où n'importe quand...**

Djess décolla le premier et c'était un spectacle étrange que de voir cette grande maison
claire avec ses larges fenêtres se muer subitement en un bloc de métal lisse et s'élever ver-
tigineusement dans le ciel bleu. *La Vagabonde*
le suivit presque aussitôt, le rejoignit à la limite de gravitation planétaire, le vit s'effacer
d'un seul coup dans le néant. Une minute plus
tard elle passait aussi dans l'hyperespace et
tous les écrans s'éteignirent. L'équipe avait retrouvé la solitude et l'isolement absolus que
seuls peuvent connaître les voyageurs stellaires.

Vers la fin de la sixième journée de temps-vaisseau et conformément aux estimations de durée relative, la modulation de l'avertisseur d'émersion retentit et trente secondes plus tard la sphère étoilée se rallumait tout autour de la nef. Un astre était là, tout proche, accompagné d'un cortège de satellites parmi lesquels le pilote ne fut pas long à détecter celui qui présentait les conditions nécessaires à la formation et au maintien de la vie organique, une planète en tout point terramorphe. Paola calcula la parabole d'approche et, comme il était pour eux l'heure du dîner, ils repassèrent tous quatre dans le carré pour se livrer à cette nécessaire occupation en attendant que la trajectoire d'intersection atteigne le seuil de l'inversion de poussée et de la décélération. De retour dans le poste ils se penchèrent sur les écrans.

— Ça m'a l'air pas mal du tout, fit le pilote. Composition de l'atmosphère, température de surface, hygroscopie, tout est de bon aloi, on se croirait presque de retour chez nous. La masse est un peu plus faible et la pesanteur légèrement moindre mais ça vaut mieux que le contraire ; il n'y a que ce soleil qui est un tout petit peu trop bleu, je croyais avoir compris que c'était un G 4, mais s'il le faut on mettra des verres de contact anti U.V. Bonne répartition des continents et des mers, calottes polaires, rien n'y manque. Il n'y a qu'une chose qui me chiffonne...

— Laquelle ?

— Ourya sert d'habitat à une civilisation hautement évoluée, n'est-ce pas ? Des humains dont nous avons pu apprécier le degré de technologie, or je ne détecte absolument aucune manifestation d'ordre électromagnétique, c'est pour le moins curieux.

— Peut-être ont-ils établi autour de leur planète un écran de neutralisation ? Djess l'avait bien fait pour son vaisseau.

— C'était un réflexe normal pour tout navigateur abordant un territoire étranger qui peut se révéler hostile. Il l'avait même poussé au point de dévier les rayons lumineux et se rendre invisible alors que ce n'est pas le cas ici. Mais pourquoi prendre ce genre de précaution sur la totalité du globe ? Ils ignorent la guerre, rien ne les menace, ce sont des gigawatts dépensés en pure perte. Enfin, attendons encore un peu jusqu'à ce que je me sois placé en orbite basse, nous verrons bien...

De près il en allait comme de loin, les appareils demeuraient obstinément muets. En outre, un facteur supplémentaire d'inquiétude naquit, s'accrut au long des heures au fur et à mesure qu'Ariel décrivait à grande vitesse des cercles autour de la planète. Les images se succédaient en montrant les paysages les plus divers, hautes montagnes, grandes plaines recouvertes d'une luxuriante végétation dans la zone tempérée ou plus ou moins désertique vers l'équateur, toundras, steppes, mais nulle part, absolument nulle part n'apparaissait la moindre trace d'une présence humaine. Pas de routes, pas d'agglomérations, pas de champs cultivés. Il fallait se rendre à l'évidence : la planète était inhabitée et si la vie intelligente y était apparue, elle en était encore au stade des cavernes.

— Oh ! gémit Astrid en s'effrondrant dans son fauteuil, nous avons encore été emportés par une sécante rémanente et rejetés deux ou trois cent mille ans plus loin dans le passé !

— De quoi te plains-tu ? répliqua sombrement Paola, tu vas pouvoir revivre la Genèse ouryenne. Voilà l'Eden où nous serons deux Eve et deux Adam pour donner naissance à l'humanité, Djess et les autres seront nos descendants. Mais c'est vrai, tu as fait l'amour avec Diéno et tu réalises maintenant que c'était un inceste ?

Silencieux, visage durci, Ariel attendit jusqu'à arriver au méridien de la face éclairée, piqua vers le sol, repéra une grande étendue dégagée au bord d'une large rivière, posa la nef. Il ouvrit le sas, descendit la rampe, fit quelques pas sur l'herbe épaisse et serrée. Ephraïm puis Astrid le suivirent, la jeune femme avançant avec une passive résignation et le technicien avec un air qui se voulait dégagé. Ensemble ils contemplèrent le lumineux paysage où rien ne manquait, ni fleurs multicolores, ni papillons chatoyants, ni bourdonnements d'insectes, ni chants d'oiseaux.

— Pour un paradis terrestre ou plus exactement ouryestre, ça y ressemble bien, murmura Ephraïm, ce ne seront pas les voisins qui nous gêneront si nous décidons de nous installer ici. Je nous construirai une belle cabane de branchages, j'allumerai un feu en frottant deux morceaux de bois l'un contre l'autre et

Paola ira nous chercher du gibier, Artmè lui a enseigné l'art de la chasse. On trouvera aussi des fruits et des racines et Astrid nous dira s'ils sont comestibles ou vénéneux. Seulement attention, il faudra se méfier du serpent.

— Tu as le courage de plaisanter ? Je ne sais pas si tu te rends compte de la situation ! Si nous restons ici nous finirons par devenir comme tu le dis, de véritables sauvages, et si nous repartons, ce sera encore pour retourner en arrière et atterrir au milieu d'un troupeau de dinosaures ! Je commence à en avoir assez de devenir chaque fois mon arrière grand-mère !

— J'avoue que je me demande quoi faire, émit Ariel avec un long soupir, la fatalité semble vraiment nous poursuivre. Le mieux serait peut-être de rester ici quelque temps, au moins pour réfléchir et de nous efforcer sérieusement de comprendre ce qui nous arrive. Après on pourrait toujours repartir par tous petits sauts en allant d'une étoile à la suivante ; en effectuant ainsi des trajets aussi minimes, il est peu probable que nous soyons à nouveau déviés temporellement et nous finirons bien par trouver une planète plus évoluée que celle-ci.

Une courte discussion s'ensuivit, bientôt interrompue par un appel émanant du vaisseau. Ils se retournèrent pour voir Paola debout au sommet de la rampe.

— Qu'avez-vous l'intention de faire ? Demeurer ici quelques jours pour faire un peu d'exploration et voir à quoi ressemble une planète vierge ? Ou bien repartir pour Ourya où nos amis doivent nous attendre ?

— Repartir pour Ourya ? Mais nous n'y sommes pas ?

— Non et je m'en excuse. Cette transcription des coordonnées était si complexe qu'Artmè et moi avons un peu nagé sur quelques paramètres, mais pas de beaucoup. Nous avons émergé dans le champ d'un autre système avec seulement deux pauvres petits parsecs d'erreur. C'est vraiment une misère sur un parcours de quatorze cents années-lumière. Quant au facteur temps il n'a pas varié, nous sommes toujours à la même époque.

— Tu en es sûre ? Tu as pu retrouver si vite les vraies coordonnées ?

— Je n'ai pas eu besoin de recommencer les calculs, je me suis contentée d'activer les récepteurs radio et de balayer les fréquences. Non seulement la vraie Ourya n'a pas éprouvé le besoin de s'entourer d'un champ de neutralisation mais ses astroports sont équipés de radio-phares, j'ai capté un faisceau qu'il n'y aura qu'à suivre. Il ne peut y avoir qu'eux pour émettre ainsi un quadrillage de navigation, mais si par improbable c'était une autre civilisation située dans un autre secteur de la galaxie, elle serait en tout cas au moins au même stade que nous.

— Ouf ! s'exclama Astrid. Je propose que nous partions immédiatement en souhaitant seulement que si ce n'est pas Ourya on ne nous accueille pas avec une rafale de torpilles.

— Qui sait ? sourit la navigatrice. La pre-

mière nous a expédiés dans le passé, la seconde nous ramènerait peut-être dans l'avenir ?...

Le dernier saut fut court et, bien entendu,
la planète qui se matérialisa enfin devant eux
était bien Ourya, les dernières inquiétudes
éprouvées à ce sujet étaient sans fondement et
personne ne les avait du reste prises au sérieux. Ce monde apparaissait d'ailleurs nettement moins édénique que le précédent, les surface désertiques étaient beaucoup plus nombreuses, occupant non seulement la ceinture
tropicale et les zones polaires mais en outre
une bonne partie des latitudes moyennes. Cette
anomalie — car c'en était une puisque les
conditions d'éclairement, de température, d'hy-
drographie et d'échanges atmosphériques semblaient conformes aux normes habituelles —
évoqua chez Ariel la pensée qu'Ourya avait dû
connaître dans son passé des conflits géné-
ralisés, des guerres au cours desquelles des
armes bactériologiques ou chimiques avaient
profondément brûlé le sol. La Terre également
présentait de semblables cicatrices, bien que
moins étendues. La supposition devait plus
tard se manifester exacte, avec cette précision
supplémentaire que les dernières dévastations
étaient si anciennes que le souvenir s'en était
presque perdu, dix ou quinze siècles, peut-être,
cependant l'herbe elle-même n'avait pas encore
repoussé sur ces champs de lave vitrifiée. En
définitive, il n'y avait qu'un seul secteur qui

parût intact, une grande île australe, presque un mini-continent d'environ trois millions de kilomètres carrés et dont la surface verdoyante contrastait d'une façon frappante avec le reste. Cette particularité à laquelle Djess avait d'ailleurs fait allusion, offrait l'avantage de limiter le champ des recherches et complétait le guidage des faisceaux quadriques dont la source se situait également à cet endroit. Le pilote résolut donc de se poser le plus près possible de l'émetteur.

Pendant le dernier parcours d'approche à basse altitude et à vitesse limitée, le déroulement du paysage amena une première remarque : les preuves d'une activité humaine étaient certes nombreuses, surtout sous forme de grandes surfaces de cultures alternant avec les massifs bordés, ainsi que l'intense réaction des détecteurs électromagnétiques, mais il n'y avait pratiquement pas de routes ni d'indices de circulation, pas plus terrestre qu'aérienne et, surtout, aucune agglomération de quelque importance n'apparaissait aussi loin que pouvaient porter les objectifs. En revanche, les habitations ne manquaient pas. En général, de grandes maisons claires entourées de parcs et de pièces d'eau, toutefois chacune était solitaire, isolée de la nature ; nulle part elles ne se groupaient, ne fût-ce qu'à deux ou trois. Comme le remarqua Astrid, on pouvait croire que le continent entier représentait une seule ville où les rues étaient absentes et les immeubles séparés par des dizaines de kilomètres — de fait, il y avait une certaine régularité dans cette constante dispersion. Enfin, les grands pylônes aériens du guidage spatial montèrent à l'horizon, Ariel réduisit encore la propulsion, cherchant à repérer l'astroport qui devait logiquement se situer à proximité. Mais rien qui ressemblât à une piste et à ses annexes ne se montra, les installations s'élevaient au milieu des champs et des bois. Se résignant à recourir au bon vieux moyen qui consiste à demander son chemin, il effectua un cercle à la recherche de la maison la plus proche des pylônes, l'aperçut au centre d'un petit plateau allongé dominant le confluent de deux rivières et, au même instant, poussa une joyeuse exclamation. A quelques centaines de mètres en arrière de cette grande villa construite en terrasses superposées, apparaissait cette fois un second bâtiment plus petit et, celui-là, tous le reconnurent immédiatement. C'était la nef dont ils avaient été les hôtes sur l'Olympe. *La Vagabonde* stoppa à la verticale, s'enfonça avec une sage régularité, vint se poser sur la prairie juste à côté du vaisseau ouryen. Quand l'équipe ouvrit le sas et s'engagea sur la rampe, Artmè les attendait déjà au pied :

— Vous voilà enfin ! Nous commencions à nous demander si vous n'aviez pas changé d'avis...

Le principe de l'instantanéité apparente d'un déplacement hyperspatial voulait effectivement que, puisque les deux nefs étaient passées ensemble dans le continuum sous la même programmation, elles en émergent également ensemble, aucune différence de vélocité ne pouvait jouer au cours d'une translation en temps einsteinien nul. Paola résuma rapidement ce qui s'était passé et l'infime erreur de coordonnées angulaires résultant d'une misérable décimale imprécise, le retard correspondait à cette brève escale sur le monde vierge, augmenté de la trajectoire d'approche et des orbites de reconnaissance ; ce qui faisait tout de même une dizaine d'heures et pouvait à bon droit inquiéter. Artmè connaissait bien d'ailleurs cette planète qui constituait un parc naturel et protégé par une interdiction d'établissement humain, elle s'y rendait fréquemment pour y exercer à son aise son sport favori.

— Le développement de la faune n'y est limité que par son propre équilibre écologique et comme je suis la seule de toute ma race à me passionner pour les jeux cynégétiques, je ne risque pas de mettre en danger la survivance des espèces. Mais venez, vos appartements vous attendent.

Djess, Hyria, Diéno et Paa-sédo étaient là, qui les accueillirent comme s'ils n'avaient jamais été séparés et de fait, le temps réel écoulé avait été insignifiant. L'intérieur de la villa correspondait en plus grand à celui de la nef : même confort, même luxe exotique, même automatisme des services poussé aux extrêmes limites, et ce fut encore Artmè qui se chargea de familiariser ses hôtes avec les lieux et leur mode d'existence, ce qui était d'ailleurs très simple, chacun faisant exactement ce qu'il voulait quand il le voulait.

— Vous comprenez, notre vie sur Ourya est

6

régie par une loi essentielle et qui se suffit à elle-même, à l'exclusion de toutes les autres : l'indépendance et la liberté absolue de chacun — ce qui entraîne naturellement le respect de celle des autres. C'est la raison pour laquelle il n'y a pas ici, contrairement à ce qui existe chez vous, de groupements de résidences sous forme de villages ou de villes. Chaque habitation est isolée dans son propre cadre et ne rassemble que ceux qui veulent bien vivre côte à côte, cinq ou six personnes en moyenne, rarement plus, souvent moins. Il y en a même parmi nous qui préfèrent demeurer solitaires.

— Mais, s'étonna Astrid, il doit bien y avoir quand même des points de concentration ? Des centres où sont réunies toutes les choses nécessaires à la vie, des magasins, des foyers d'art ou de culture, des organismes administratifs...

— A quoi bon ? L'automatisme est partout, les récoltes par exemple sont assurées par des machines, d'autres machines se chargent de la distribution, d'autres encore reçoivent, transforment et terminent le cycle sur place, dans chaque maison. Le blé qui a poussé dans les plaines du sud-est arrive sous forme de pain ou de gâteaux sur notre table. Il y a des usines réparties çà et là, naturellement, mais personne ne s'en occupe. Si j'ai besoin de quoi que ce soit, une robe, du parfum ou une arme de chasse, j'active mon transcepteur et je reçois l'objet désiré. Pourquoi serais-je obligée de me déranger et surtout de déranger quelqu'un d'autre, ce qui serait porter atteinte à sa liberté ?

— Evidemment ! Cependant il y a d'autres motifs de regroupement, l'école par exemple. L'éducation des enfants suppose des collèges, des universités.

— Mais il n'y a pas d'enfants ! Ou si peu qu'il est bien inutile de prévoir des bâtiments à cet usage, les cours enregistrés en tridi suffisent largement. Songez que nous ne sommes au total que six cent mille Ouryens, que nous vivons en moyenne sept à huit siècles et que nous ne tenons absolument pas à voir notre population augmenter, ça créerait trop de problèmes. Faites le compte et vous verrez que la reproduction ne peut être chez vous qu'un phénomène exceptionnel.

— Je me garderais bien de discuter sur ce point, l'exemple de certaines civilisations que je connais risquerait de me pousser trop facilement à vous donner raison. Reste quand même le côté relations sociales.

— Oh ! pour celui-ci, il existe, croyez-moi. Vous le constaterez d'ailleurs ce soir-même. Djess a décidé de donner un dîner en votre honneur et d'y inviter quelques amis...

L'après-midi s'écoula paisiblement et quand vint l'heure de la réunion, les Terriens, parfaitement reposés et détendus par la tiédeur d'un bain parfumé et les soins attentifs des robots masseurs, se retrouvèrent dans une salle à manger dont l'aspect et la disposition les étonnèrent profondément au premier coup d'œil. La pièce, donnant d'un côté sur une terrasse au-dessus des jardins fleuris, était tout aussi luxueuse que les autres mais ses dimensions

ne correspondaient nullement à ce qu'ils atten-
daient ; il était difficile d'admettre qu'elle puisse accueillir de très nombreuses personnes. En
outre, la table carrée ne mesurait guère plus
de trois mètres dans chaque sens et, au lieu
de se trouver au centre, elle était collée contre
le mur opposé à la baie, si bien que cette disposition faisait que le quatrième côté était
inutilisé. Pour finir, les couverts de fine por-
celaine et de cristal étaient seulement au nombre de neuf, exactement celui représenté par
les cinq Ouryens et les quatre compagnons de
La Vagabonde.

— Prenez place, je vous prie, fit Hyria avec
un gracieux sourire. Si je puis me permettre
une suggestion : Ariel au centre entre Astrid et
Paola, Ephraïm et Djess face à face et nous
ensuite jusqu'au mur... Voilà, très bien. Je
crois que les autres sont en train d'arriver.

Elle s'assit à son tour, posa l'ongle poli de
son index sur un minuscule boîtier placé devant elle et, tout aussitôt, les Terriens étouf-
fèrent une exclamation de stupeur. La grande
paroi qui leur faisait face et dont l'aspect nu
et dépourvu de tout ornement les avait déjà
étonnés venait de s'effacer soudainement —
non pas en glissant comme un panneau mobile
mais bel et bien en cessant d'exister ou, plus
précisément, en devenant intégralement trans-
parente. Derrière elle apparaissait une nouvelle salle formant une extension de la première et quadruplant sa surface, la table également se prolongeait dans les mêmes proportions et, à première vue, on aurait pu croire

qu'un simple rideau s'était levé, isolant précédemment la majeure partie de la salle à manger, et la rétablissant dans son entier, afin de
pouvoir accueillir des hôtes plus nombreux,
mais quelque chose clochait dans le nouvel
ensemble. Non seulement la décoration de
cette seconde section était résolument différente de celle de la première, mais elle affi-
chait une bizarre hétérogénéité. La teinte des
murs et leur ornementation se modifiait complètement de proche en proche comme si le
maître d'œuvre avait été incapable de se décider pour un style et avait aligné ses concep-
tions les unes à la suite des autres afin de présenter un échantillonnage de ses talents. La
table elle-même apparaissait comme un assem-
blage de carrés de bois de teintes différentes
ou même d'autres matériaux tels que le marbre
et on pouvait aussi percevoir çà et là de
faibles inégalités de hauteur, les raccordements
n'étaient pas toujours parfaits. Enfin, la vaisselle aussi offrait la même diversité, allant de
la riche céramique multicolore au vermeil. De
toute cette ordonnance disparate émanait une
bizarre impression d'irréalité dont les Terriens
ne furent pas longs à comprendre la raison.

— Paola me demandait, fit Artmè en se pen-
chant vers Ariel, comment nous pouvions allier
notre désir d'isolement au maintien des relations sociales. Je pense que vous comprenez
maintenant que les deux choses ne sont pas
incompatibles.

— En effet, le mur n'est qu'un grand écran
tridi, n'est-ce pas et il en existe un semblable

dans chaque maison ? Personne n'a besoin de se déranger, les invités demeurent chez eux et pourtant nous serons tous réunis par la vue et par l'ouïe sinon par le toucher. Au fond, ce n'est que de la paresse poussée à la limite.

— Le progrès technique n'a-t-il pas pour but de supprimer l'effort ? émit Djess.

— Je veux bien. Mais ceci n'est pas une véritable invitation à dîner puisque chacun va manger ses propres plats et boire son propre vin au lieu d'apprécier ceux qui seront offerts par la maîtresse de maison.

— Tous les aliments viennent de la même source, seules les préparations changent. Au moins, chacun aura dans son assiette ou dans son verre ce qu'il préfère, ce qui est plus agréable que d'être obligé de se conformer à nos goûts et de faire bonne contenance en absorbant quelque chose que peut-être il n'aime pas... Mais voici nos amis, j'espère qu'ils vous plairont. Je ne vous présenterai pas, les noms sont bien inutiles, n'est-ce pas ?

Ils arrivaient les uns après les autres, saluaient d'un geste et d'un sourire, s'asseyaient et, là encore, la variété et l'absence de toute convention étaient frappantes. Certains ou certaines étaient vêtus avec recherche, d'autres plus simplement, d'autres en négligé d'intérieur. Il y avait même, solitaire dans son carré, une très belle femme complètement nue. Nul ne songeait à s'en étonner et encore moins à en être choqué. Bientôt la conversation quelque peu monosyllabique au début s'anima, devint générale, et les quatre extra-ouryens s'efforcèrent sans trop de peine d'y participer, progressivement gagnés par l'ambiance et oubliant vite que toute la scène n'était qu'un jeu complexe de caméras, de microphones, de projecteurs en relief syntonisés et que la trentaine de personnages réunis près d'eux étaient en réalité dispersés sur des centaines de kilomètres. Du reste, sur le plan scientifique, il n'y avait rien dans cette fantasmagorie qui puisse vraiment les surprendre, ce n'était qu'une appréciable somme de perfectionnements des techniques qu'ils connaissaient et utilisaient déjà eux-mêmes ; seule peut-être Om'phala, si elle avait été du voyage, aurait été déconcertée et encore, les mages aussi étaient capables de projeter l'image de leur corps sous forme d'apparitions. Mais d'autres détails étaient nettement plus inhabituels.

Ils s'étaient attendus à être en quelque sorte le centre d'intérêt de l'assistance ; ce ne devait pas être tous les jours que les Ouryens avaient l'occasion de rencontrer des humains qui, non seulement appartenaient à une très lointaine civilisation inconnue, mais avaient franchi à l'envers cinq millénaires pour les atteindre. Des voyageurs de l'avenir, capables de leur décrire des mondes qui n'existaient pas encore. Ils s'étaient donc préparés à répondre à d'innombrables questions et, au lieu de cela, on ne leur prêtait ni plus ni moins d'attention qu'aux autres convives. Il y avait bien de temps à autre quelques interrogations au sujet de leurs mœurs ou de leurs coutumes — émanant du reste surtout de la jolie blonde sans voile —

mais on sentait que ce n'était que pure politesse. Ils arrivaient d'ailleurs et d'un autre
temps, c'était très bien, mais c'était leur affaire. Cette complète absence de curiosité
qu'ils avaient déjà noté chez Djess et ses compagnons lors du séjour sur l'Olympe était donc
générale ; elle se manifestait du reste aussi
bien à l'égard de leurs cinq hôtes et compatriotes qui, pourtant, avaient aussi beaucoup
à raconter sur tout ce qu'ils avaient vu et
appris. C'était visiblement un caractère psy-
chologique racial, découlant sans nul doute de
cette loi de respect de la liberté individuelle
poussée, elle aussi, à la limite et résultant finalement en un parfait égoïsme : je suis moi et
ce que font les autres m'est indifférent. Ariel
se souvenait à ce propos du mal qu'il avait eu
pour décider Djess à partir au secours d'Artmè
qui était cependant sa camarade de bord...

En écoutant les répliques qui se croisaient
et en s'efforçant de saisir les allusions qui
s'y glissaient souvent, ils finirent peu à peu
par se faire une image plus précise ; la science
et l'instinct professionnel d'Astrid y concou-
raient largement, aidés par la rigoureuse logique de Paola. Somme toute, la civilisation
ouryenne était arrivée à un stade de perfec-
tion, après avoir traversé dans le passé des tri-
bulations qui l'avait décimée jusqu'à ne laisser
subsister qu'un petit groupement définitivement stabilisé. Ils avaient voulu oublier ce
passé, ils y avaient réussi et d'autre part ils ne
connaissaient plus aucun souci, aucune inquiétude, aucune angoisse du lendemain puisqu'ils

avaient hérité de ce même passé une quasi-immortalité et des machines inusables subvenant à tous leurs besoins. Donc, ils n'avaient pas davantage d'avenir puisque rien ne pourrait plus changer, c'était le complet état statique, l'entropie arrivée à zéro. En fait, ils avaient tout bonnement cessé de vivre, car la vie est une constante lutte pour l'évolution et pour le progrès, ce progrès qui s'était arrêté du jour où tout avait été obtenu. Leur existence se déroulait désormais uniforme, presque végétative, hier était identique à demain ; rien ne variait, rien ne se transformait, rien ne pouvait être autre. Ils refermaient autour de leurs egos le cercle d'une activité stérile d'automates biologiques servis par des automates électroniques et ne pouvaient ni ne désiraient plus en sortir. Il avaient atteint le paradis, c'est-à-dire la stase finale, la véritable mort.

Cette constatation admise, une anomalie apparaissait immédiatement. Puisque la mentalité ouryenne était devenue un vase clos, ignorant le désir de connaître l'inconnu, privée de toute curiosité, de tout besoin de rechercher ailleurs quelque chose de différent, comment se faisait-il que Djess et son petit groupe échappent dans une certaine mesure à ce conditionnement d'immobilisme ? Ceux-là éprouvaient de véritables besoins, dont celui de parcourir la galaxie à la recherche de cadres et de paysages nouveaux, au lieu de rester dans leur domaine, était le plus marqué ; mais il y avait aussi cette passion pour les sports violents ou dangereux qui se manifestait chez

Artmè et Paa-sédo comme la sensualité animait Djess et Diéno. Il y avait encore ces traits de caractères psychologiques qui ne cadraient pas avec le reste : Hyria était jalouse, Djess coléreux. C'était alors que les légères railleries que leur adressaient par moment leurs invités prenaient leur sens. Ils les désignaient ironiquement mais amicalement d'un terme qui correspondait à la fois au mot « insatisfait » et à celui de « fou ». Et c'était bien cela. Ils étaient des fous puisqu'un fou est un individu différent des autres. Plus exactement ils étaient des mutants, chez qui un gène devenu depuis longtemps récessif dans la race était soudain réapparu et leur imprimait une personnalité qui avait cessé d'être conforme au moule. Dans un autre monde on eût tenté de les exorciser ou plus simplement de les interner, ici on se contentait d'ironiser à leur sujet, mais on ne s'en préoccupait pas autrement, ils étaient libres d'agir comme il leur plaisait et de risquer leur peau chez les sauvages si ça les amusait, on s'en fichait éperdument, dès l'instant où ils se livraient à leurs excentricités ailleurs et qu'ils ne mettaient pas en danger la collectivité.

C'était la raison pour laquelle il n'existait pas d'astroport sur la planète, ils étaient les seuls à se lancer dans l'espace et, pour son unique vaisseau qui ne nécessitait ni entretien ni maintenance ni autre terrain qu'un bout de prairie, aucune infrastructure n'était utile non plus qu'un contrôle de la navigation. De même les pylônes de guidage hertzien avaient été érigés à proximité de leur habitation à leur unique bénéfice. Ces phares n'étaient là, du reste, que par surcroît de sécurité puisque théoriquement la nef ne pouvait s'égarer mais comme leur installation n'avait exigé aucun effort physique, à quoi bon s'en priver ?

— Ils ont été construits et équipés par le réseau des machines automatiques comme le reste ? interrogea Ariel.

— Naturellement, répondit Djess en haussant les épaules. Notre vaisseau également a été réalisé par elles, nous n'aurions pu nous le procurer autrement. Ce genre d'appareil n'existait pas sur Ourya, à qui pourrait-il servir en dehors de nous ?

— Mais alors, fit Ephraïm, une chose m'étonne. Que votre organisation robotique soit programmée pour satisfaire à tous les aspects de la vie courante, je le conçois, mais justement vos demandes sortaient complètement de l'ordinaire et, par conséquent, des prévisions. Comme d'autre part il n'existe aucun technicien spécialiste dans votre peuple, comment les ateliers ont-ils été capables d'effectuer de pareilles réalisations ?

— Nous possédons de grandes usines équipées d'un tas de machines-outils très complexes qui peuvent fabriquer absolument n'importe quoi, il n'y a vraiment là aucun problème.

— J'entends bien. Seulement *qui* a donné à ces machines les plans, les schémas ? Ils n'étaient tout de même pas inclus dans les mémoires des maîtres-ordinateurs alors qu'ils ne correspondent à aucun besoin ?

— Il faut croire qu'ils y étaient cependant. Ce genre de matériel, vaisseaux de l'espace et tout ce qui s'y rapporte, a dû exister autrefois, aux époques noires, les plans sont demeurés intacts dans les cristaux et se sont réveillés à notre demande. Je n'ai fait qu'y ajouter des indications personnelles concernant un aménagement intérieur conforme à nos goûts et à nos habitudes.

— Les données nécessaires ne se trouvaient pas dans les computeurs de l'usine, intervint Artmè en se rapprochant mais parmi les archives du musée. Je le sais parce que, moi aussi, j'ai eu besoin d'une documentation particulière, concernant les armes de chasse préhistoriques : arcs, flèches, carquois notamment, et c'est là-bas que j'ai été les chercher directement. Comme le disait Ariel, l'usine n'est programmée que pour le rythme de notre vie courante. Pour tout ce qui sort de l'activité normale, elle se branche là-bas.

— C'est exact, approuva Paa-sédo. J'y suis allé pour me perfectionner en matière de respiration aqueuse.

— Des archives qui contiennent toute la science que vous avez oubliée ! s'exclama Ephraïm. Et nous pourrions y avoir accès ?

— Bien entendu. Le musée se trouve assez loin sur la côte est, il faut deux bonnes heures pour s'y rendre en volant avec le harnais individuel, mais nous pouvons nous commander un confortable glisseur aérien, ce sera plus facile.

— Pas la peine, nous avons notre module autonome.

— C'est vrai, j'avais oublié, et pourtant c'est grâce à lui que vous m'avez sortie des griffes d'Om'phala. Je vous servirai de guide quand vous voudrez.

L'idée du maître-technicien était évidemment d'aller fouiller ces archives dans l'espoir d'y découvrir quelque chose, fût-ce une simple théorie susceptible de se rapporter au déplacement temporel. Les savants disparus, qui avaient été capables de mettre au point tant de perfectionnements dans le domaine matériel, avaient peut-être aussi poussé très loin leurs recherches sur la structure de l'hyperespace, même si leurs descendants n'en concevaient plus l'utilité. La même idée était venue à ses camarades, la mésaventure dont ils avaient été victimes prouvait l'existence des sécantes rémanentes, les Ouryens avaient donc très bien pu connaître pareils incidents et à partir de là approfondir leurs études pour trouver un moyen d'échapper à ce risque. De ramener la nef perdue sur ses véritables coordonnées actuelles, peut-être...

De toute façon, cette possibilité ne pouvait être négligée et la décision fut aussitôt prise. De par sa spécialité et son génie particulier, Ephraïm était le plus à même d'explorer fructueusement la masse de documentations renfermée dans le musée. Artmè l'aiderait, non seulement en le conduisant sur place, mais encore en lui expliquant les modes de classement logique et analogique, le fonctionnement des sélecteurs et celui des tables de lecture. Bien entendu, là comme partout, tout était automa-

tique, il n'y avait pas de bibliothécaire. Tout
naturellement, Paola se joignit à son amie et,
après tout, elle aussi était une spécialiste dans
le domaine visé. Cette association devait se
révéler la meilleure à plus d'un égard. En effet
dès que les premiers enregistrements apparurent, les deux Terriens s'avérèrent incapables
de les déchiffrer seuls puisque, s'ils comprenaient parfaitement la langue ouryenne par le
truchement de la sémaception, ils ne la connaissaient pratiquement pas, leurs cerveaux ne
faisaient que traduire automatiquement les
pensées exprimées sans fixer le moindre vocabulaire réel. Le contact direct, le « face-à-face »
était absolument nécessaire à l'établissement
de cette liaison somme toute un peu compa-
rable à la télépathie ; tout médium intermédiaire l'annulait, surtout celui de l'écriture qui
n'était plus qu'une figuration théorique et non
une émission. Sauf pour les symboles mathématiques déjà assimilés par Paola et sauf aussi
pour les épures, dessins ou schémas graphiques souvent assez clairs, les textes eux-mêmes
étaient illisibles, même la bande sonore qui
les accompagnait n'avait plus aucun sens puisqu'elle n'était pas émise directement par un
être humain. Il fallait donc qu'Artmè lise le
tout à haute voix mais, si un paragraphe manquait de clarté — et cela arrivait fréquemment
étant donné qu'elle ignorait tout du jargon
scientifique — c'était Paola qui la comprenait
le mieux ; la vive sympathie qui unissait les
deux jeunes femmes était arrivée à créer une
vraie syntonisation mentale. A eux trois, ils

formaient une remarquable équipe dans laquelle Artmè, malgré sa mentalité ouryenne, s'était complètement intégrée. Après tout, cette recherche, n'était-elle pas une forme de chasse ?

Ce travail assidu se poursuivit jour après jour sans qu'aucun de ses participants ne consentît à répondre aux multiples questions d'Astrid et d'Ariel autrement que par des formules évasives, des « ça va », « intéressant »... « Attends qu'on y voie clair... » et autres formules vagues. Mais le visage de Paola s'éclairait de plus en plus et Artmè commençait à recevoir du réseau automatique de mystérieux objets qu'Ephraïm emportait dans *La Vagabonde* où il s'enfermait une partie de la nuit. Enfin, un beau matin, il réintégra la chaloupe dans la soute et revint s'asseoir à la table du déjeuner avec un sonore soupir de satisfaction.

— Je crois que ça y est ! Si toutes les théories ont été correctement interprétées et si leurs applications pratiques consentent à marcher, notre congé de longue détente pourra être considéré comme terminé. Nous reprendrons notre place au combat en bons militaires bien disciplinés que nous sommes.

— Tu as réussi ? Tu as retrouvé dans les archives les équations du déplacement temporel ?

— Autant qu'on puisse l'affirmer, oui, mais naturellement nous n'en serons certains qu'après avoir tenté l'expérience. Il y a quand même une certaine différence entre une pyra-

mide de formules mathématiques et leur réali-
sation matérielle. Cependant les Ouryens
d'autrefois ont dû franchir ce passage entre la
théorie et la technique puisque les robots de
l'usine n'ont fait aucune difficulté pour nous
fabriquer les pièces et les appareils nécessaires. Le know-how était déjà dans leurs mémoires — j'ai raccordé les nouveaux circuits
aux anciens et ça n'a pas été trop difficile, il
ne s'agissait au fond que d'une extension des
blocs de navigation. Mais pour ce qui est du
principe sur lequel est basé le fonctionnement
de ces gadgets, je laisse à notre théoricienne
Paola le soin de vous l'expliquer.

— Ce n'est pas une découverte véritablement
révolutionnaire, fit la jeune femme, bien que
j'aurais été parfaitement incapable d'échafauder les mêmes hypothèses et d'arriver aux
mêmes conclusions à partir de ce que je savais et des moyens dont je disposais. Je le
pouvais d'autant moins que je commettais au
départ une erreur totale et qui me fermait la
seule route. Vous vous souvenez de ce que je
vous avais dit : toutes les sécantes du continuum sont provoquées par le champ d'inter-
actions gravifiques d'une masse matérielle,
d'un astre, elles sont la projection de la courbure spatiale einsteinienne engendrée par sa
masse et ne peuvent donc qu'être actuelles.
Nous avons appris à notre corps défendant
qu'il existait aussi des nœuds rémanents correspondant à ses positions antérieures, l'image
de la courbure s'était imprimée dans l'interface
et demeurait avec son éventail de sécantes pas-

sées, nous avions été embarqués sur l'une d'elles. J'avais même comparé cette rémanence à un sillage, si je m'en souviens bien. Mais, logiquement, il était impossible que des nœuds existent dans l'autre direction puisqu'ils ne seront créés que lorsque l'astre, poursuivant sa trajectoire, atteindra sa position future. Jusque-là, la limite entre les deux espaces est lisse et par conséquent infranchissable. Eh bien ! je me trompais.

— Est-ce que ça ne ressemble pas un peu à ce que les artilleurs du bon vieux temps appelaient la visée en avant ? demanda Ariel. Quand ils cherchaient à abattre un appareil aérien, ils tiraient sur un point situé au-delà et sous un angle tel que le projectile y parviendrait en même temps que l'avion. Ils visaient bien dans le futur ?

— La comparaison ne tient pas. Il s'agissait seulement de calculer l'intersection d'une trajectoire connue, celle de l'obus, et d'une autre estimée, celle de l'appareil. Ici, c'est le contraire, c'est le mouvement de l'objectif qui est seul déterminable avec précision. Nous savons où se trouvera une étoile à un moment donné et nous pourrions en effet la viser si notre trajectoire à nous évoluait dans le même ensemble de coordonnées spatiales qu'elle et si nous accepions de nous traîner pendant cinquante siècles à la vitesse de la lumière. Mais dans l'hyper-continuum tout change, l'obus ne sait plus où il va. Non, mon erreur était tout autre. Elle consistait à nier ces sécantes futures qui pourtant existent bel et bien.

— Incroyable !

— Mais vrai. Et par-dessus le marché tellement évident que j'en étais arrivée à ne pas le voir. Tu sais aussi bien que moi que le facteur temps n'appartient qu'à l'univers tridimensionnel et que le continuum, lui, est atemporel. Pourquoi, alors, *toutes* les sécantes n'y coexisteraient-elles pas simultanément puisque c'est un milieu sans passé ni futur ? Nous ramenons toujours tout à nous-mêmes. Pour nous hier n'est plus et demain n'est pas encore mais de l'autre côté, tout est toujours aujourd'hui. C'est bête, hein ?

— C'est surtout moi qui le suis. Et maintenant quel est le résultat pratique de cette vérité première ?

— Tout simplement qu'il faut ajouter à la programmation d'un déplacement hyperspatial une septième coordonnée, celle que les anciens savants dénommaient « vecteur d'équivalence transtemporel ». Il détermine le changement de sécante soit dans un éventail soit dans l'autre, suivant qu'il est positif ou négatif et permet ainsi d'émerger dans le champ de l'objectif visé soit avant soit après sa position actuelle et d'y atterrir soit dans son passé soit dans son avenir.

— La maîtrise du voyage dans le temps... Et tu sais calculer cette coordonnée ?

— Il y aura toujours cette légère incommensurabilité des symboles, sourit Paola, mais en procédant par approximations successives s'il le faut, on y arrivera bien. Ce n'est plus qu'une question d'entraînement à la pratique de ce nouveau chapitre de la navigation, c'est-à-dire, bien sûr, si les circuits implantés par Eph dans *La Vagabonde* se comportent comme ils doivent théoriquement se comporter...

CHAPITRE IX

Le décollage pour la grande expérience eut lieu trois jours plus tard, le temps de prendre convenablement congé de leurs hôtes ouryens qui, du reste, ne tentèrent pas de les retenir. Leur attitude demeurait conforme aux lois d'indépendance individuelle : si les Terriens avaient choisi de demeurer définitivement sur Ourya, la maison de Djess aurait toujours été la leur, mais s'ils décidaient de s'en aller, rien ne serait changé par leur départ. Seul, le fantasque Diéno exprima quelque chose qui ressemblait à un regret et précisa que, s'ils désiraient revenir et qu'à ce moment le groupe soit reparti vers une nouvelle excursion, ils laisseraient derrière eux les coordonnées d'itinéraire. Artmè, elle, alla beaucoup plus loin, déclarant sans ambages que les liens qui l'unissaient maintenant à Paola lui étaient devenus trop nécessaires pour supporter une séparation et qu'elle ne voulait pas la quitter. La nef prit

donc son essor avec un équipage augmenté
d'une unité qu'Ariel enregistra dûment sur le
rôle de bord sous la dénomination de « pas-
sagère » puisque la séduisante chasseresse ne
possédait aucune qualification technique.

Le vaisseau grimpa rapidement jusqu'aux
limites du champ de gravitation planétaire et
là, se plaça en orbite. La dernière manœuvre
à effectuer, celle de l'immersion, méritait une
sérieuse préparation, car une fois la programmation enregistrée et le contact enclenché, il
serait trop tard pour changer d'avis. Après
discussion, Ariel décida de choisir comme objectif non pas la Terre mais une planète périphérique de l'Expansion. Il était préférable
d'arriver d'abord dans un endroit écarté et
surtout qui ne soit pas inclus dans le dispositif des Bases de Forces Spatiales car ils
avaient quitté une Fédération en pleine guerre
interstellaire et ils ignoraient comment les
événements avaient tourné ; il aurait été nettement désagréable d'être accueillis à l'atterrissage par des autorités d'occupation schlganiennes. Le point choisi fut donc une colonie située
à la bordure australe de Canis Major où,
d'après le Répertoire, ne devait se trouver
qu'une cité de prospecteurs et quelques exploi-
tations minières. Elle se situait hors des
grandes routes de pénétration et il était improbable que la zone des combats s'étendît
jusqu'à elle. Avec une méticuleuse application,
Paola vérifia à plusieurs reprises les calculs,

surtout ceux du vecteur transtemporel, les in-
séra dans le maître-ordinateur.

— A dieu vat !... fit Ariel en retrouvant l'antique formule des marins.

Quelques instants plus tard il pouvait constater que, quelles que fussent les modifications
apportées par Ephraïm à l'équipement de *La
Vagabonde,* ses réponses demeuraient normales
et l'hyperespace s'était refermé sur elle sans
le moindre accroc.

L'émersion se produisit avec un léger retard
que Paola justifia par les translations latérales
additionnelles inter-sécantes avant de se précipiter sur les écrans pour comparer les confi-
gurations stellaires à la carte — ce que du
reste l'astrogateur faisait bien mieux et bien
plus vite qu'elle.

— Nous avons gagné la partie ! fit-elle en
redressant vers ses compagnons un visage illu-
miné de joie, nous sommes bien de retour à
notre époque ! Naturellement une simple première triangulation sans base fixe n'est pas
suffisante pour que je puisse préciser la date
ni même l'année et de toute façon la valeur
que j'avais déterminée pour le vecteur était
également approximative. En tout cas nous ne
sommes sûrement pas tombés loin.

— De quel ordre de grandeur serait le batte-
ment possible ? questionna Ariel.

— Oh ! disons un pour cent au maximum.
Lorsque j'ai déterminé notre position temporelle au moment de l'atterrissage sur l'île de

Dodonè, j'ai admis que la marge d'erreur n'était que d'un demi pour cent, mais j'ai préféré arrondir en dessus pour ne pas risquer de revenir avant notre départ. C'est toujours cette fichue histoire de paradoxe, il y aurait eu à la fois dans le secteur deux *Vagabonde* avec deux équipages distincts qui auraient été le même en réalité. Je ne sais pas ce qui se serait passé alors, peut-être l'un des deux vaisseaux se serait-il désintégré de lui-même pour qu'un seul subsiste et que l'ordre des choses ne soit pas modifié ? Je ne voulais pas le risquer.

— Ç'aurait été assez ennuyeux en effet, remarqua doucement Astrid, suppose que ce soient simplement nos formes actuelles qui retournent au néant, nous nous retrouverions donc au début de l'aventure pour recommencer tout le cycle : la Terre du passé, Ourya et ainsi de suite *ad vitam aeternam.* C'est peut-être ça l'Enfer des anciens ? Toujours recommencer la même chose sans se souvenir qu'on l'a déjà faite un nombre infini de fois ni savoir qu'on la recommencera encore jusqu'à la fin des temps.

— Un certain Nietzsche avait déjà exprimé cette doctrine sous le nom de l'Eternel Retour, sourit Ephraïm. Elle est plutôt désespérante mais elle vaut mieux que l'autre hypothèse. Notre annulation au moment où nous plongions dans le continuum pour échapper à l'explosion du *Dirac.* Car, dans ce cas, nous n'aurions jamais entrepris le voyage et nous ne serions donc pas revenus aujourd'hui pour causer notre propre perte... Je n'insiste pas, je tiens à conserver mon cerveau à peu près en bon état.

— Tout aurait peut-être été bien plus simple que cela, intervint aimablement Artmè. *La Vagabonde* ne serait pas ressortie dans cette galaxie mais dans une autre identique et indépendante à la fois ; un univers parallèle. Il n'y aurait pas eu juxtaposition...

— Remarquable hypothèse et parfaitement satisfaisante ! approuva Ariel. Il faudra que nous nous amusions à tenter cette expérience un de ces jours, mais de préférence après avoir mis au point la technique du retour. Pour l'instant je me contenterai de croire que nous avons émergé un peu après notre départ, ça nous permettra de ne pas nous occuper du paradoxe. D'autre part ça correspond aux observations que je viens de faire de mon côté : j'ai cherché à détecter les fréquences quadriques spéciales du réseau de liaison des Forces sans obtenir le moindre résultat alors que j'aurais dû au moins capter le quadrillage de psi Eridani. Cela signifie que les zones de combat se sont déplacées et que nous sommes ici hors de portée.

— Ou bien qu'elles ont cessé parce que la guerre est finie ? émit Astrid.

— Dans un cas comme dans l'autre, soyons prudents, car si les Schlganiens ont été vainqueurs, cette colonie est peut-être maintenant sous leur domination. Je vais en effectuer l'approche avec discrétion...

C'est ce qu'il fit avec une technique éprouvée, tout champ de neutralisation activé et tout détecteur réglé au maximum de rentabilité. Aucune manifestation hostile ne se produisit même lors de la pénétration dans l'atmosphère. Au contraire, des indices rassurants se dessinèrent : les émissions radio interceptées étaient en langue fédérale non codée et traitaient de questions banales telles que mouvements de cargos, fret ou chiffres de production. Bientôt le téléobjectif inscrivit sur l'écran les bâtiments de la petite cité ainsi que ceux de l'astroport au-dessus desquels flottait le drapeau familier. Soulagé, le pilote procéda à la routine d'annonce et de demande d'atterrissage, se posa sur la piste des longs courriers devant la minuscule astrogare. Ils descendirent tous, marchèrent vers la porte d'où venait de surgir un officier des lignes qui s'avançait vers eux.

— Commandant Andersen, se présenta Ariel en choisissant à dessein un nom trop répandu pour éveiller la curiosité. Nous terminons un long périple au-delà de la Périphérie et nous envisageons seulement une brève escale pour nous réaccoutumer.

— Lieutenant Nicolaïévitch, chef d'escale. Enchanté de vous accueillir. Vous avez besoin de réparations ou de ravitaillement ? C'est que je n'ai pas grand-chose, ici, la Base n'est plus ce qu'elle était et ne voit plus beaucoup de passage à part les cargos automatiques...

— Rassurez-vous, nous ne manquons de rien et tout va bien à bord. Ce n'est qu'une simple visite en camarades.

— Elle me fait grand plaisir, la vie est si monotone dans ce coin perdu ! Je ne posais la question que parce que votre vaisseau semble avoir bien souffert, le métal est tout noirci.

— Simple incident. Nous sommes passés un peu trop près d'une étoile qui avait décidé de se transformer en nova au même moment, mais seul le revêtement a été un peu brûlé, la coque est intacte. Vous nous ferez sans doute le plaisir de venir dîner à bord ?

— C'est à moi de vous inviter le premier. N'avez-vous pas envie de manger des légumes frais et des fruits cueillis sur l'arbre ?

— Si vous nous prenez par les sentiments...

Nicolaïévitch était vraiment trop heureux de cette occasion de recevoir des visiteurs pour la laisser échapper, la vie dans son poste isolé était terriblement monotone et ses relations quotidiennes réduites à la douzaine d'ingénieurs et techniciens activant l'exploitation voisine. La cité avait connu un temps de développement et d'animation mais le gisement s'épuisait progressivement sans qu'un autre eût été découvert. Les prospecteurs étaient partis, le personnel restant était maintenant squelettique, bientôt tout serait définitivement abandonné. Cette arrivée imprévue de camarades navigants comblait de joie le chef d'escale, en le libérant de son trop plein de solitude ; il se mettait en quatre pour leur donner la meilleure hospitalité, leur préparer un somptueux repas et bavardait intarissablement —

il était inutile de lui poser des questions qui eussent pu d'ailleurs sembler étranges — il suffisait de le laisser parler pour apprendre tout ce que l'équipe désirait savoir.

D'abord la date exacte et là l'estimation de Paola avait été juste. Ils émergeaient quarante années après l'immersion dans la sécante rémanente. La visée en avant avait été trop loin. Quelques allusions à la guerre qui avait déchiré à cette période tout un secteur de la galaxie se révélèrent payantes, la conflagration s'était terminée par la victoire totale des Planètes Unies.

— Mon père commandait un croiseur léger lors du grand conflit galactique et il y a participé jusqu'au bout. J'ai souvent entendu ses récits.

— Attendez donc... Votre nom me disait bien quelque chose, en effet. Vous êtes le fils du commodore Nicolaïévitch ?

— Vous l'avez connu ? Sûrement pas à cette époque en tout cas, vous êtes trop jeune.

— Non, évidemment, j'ai seulement entendu parler de lui, probablement par mon père à moi...

— Il en était aussi ? J'envie tous ces hommes qui ont connu cette bouleversante aventure ! Ce devait être tout un fantastique tourbillon dont nous ne pouvons aujourd'hui nous faire une idée réelle dans notre paisible train-train de navigateur des lignes. Surtout lors de cette phase tragique, lorsque tout apparaissait perdu, quand Schlgan dominait et progressait sur tous les fronts et que d'un seul coup tout s'est retourné. L'incroyable percée... Il est dommage que l'on oublie trop vite, au point de ne plus réaliser maintenant l'incroyable acte d'héroïsme qui a sauvé l'humanité stellaire.

— J'avoue que pour moi aussi tout ça est aujourd'hui bien vague. Notre métier d'explorateurs nous condamne à vivre si souvent et si longtemps hors de la civilisation que nous devenons presque des étrangers. Nous devrions faire quelquefois l'effort de réapprendre notre histoire, ne serait-ce que pour nous inspirer de ses exemples.

— Votre existence doit être passionnante, commandant. Mais si cela vous intéresse vraiment, je possède un livre qui retrace d'un bout à l'autre cette dernière guerre. Un vrai livre, entendez-vous ? Avec une reliure et des feuillets imprimés, pas un simple enregistrement. Une pièce de collection qui n'a été tirée qu'à un nombre limité d'exemplaires par les soins de l'Amicale des Anciens Combattants. Je vous le prêterai, vous pourrez le parcourir ce soir avant de vous endormir, et, si vous le désirez, je vous autorise à le photocopier.

— Je vous en remercie très sincèrement. Soyez tranquille, j'en prendrai grand soin. Je possède moi-même quelques vrais livres et je connais leur prix, vous pouvez me faire confiance...

Quand les astronautes regagnèrent pour la nuit leurs cabines — nettement plus confortables que l'ancien hôtel de la Base tombé en

semi-décrépitude — Ariel emportait avec lui
le précieux et lourd volume. Aussitôt arrivé
dans le carré, il le posa avec précaution sur la
table, se mit à le feuilleter. C'était vraiment
une très belle édition à la typographie particulièrement soignée et faite en véritable papier, on aurait presque pu lui attribuer trois
ou quatre siècles d'ancienneté, n'étaient les
illustrations en couleur tridi purement modernes. Tout le déroulement de la grande guerre interstellaire y était décrit, depuis ses ori-
gines premières et ses péripéties successives
retracées dans l'essentiel, il aurait fallu vingt
livres semblables pour en évoquer le détail.
Mais toutes les fluctuations, tous les princi-
paux épisodes s'y retrouvaient avec une véra-
cité et une précision suffisantes pour que le
pilote croie revivre ceux auxquels il avait été
mêlé et en même temps il s'étonnait : l'ouvrage
approchait de sa fin et cependant il n'avait pas
encore atteint le point où les caprices du conti-
num avaient emporté *La Vagabonde* immen-
sément loin du cœur et de l'époque des hostilités. Se pouvait-il que le reste se soit déroulé
si rapidement ? Enfin, au début de l'un des
derniers chapitres un mot fixa son attention :
le *Dirac*. La fin tragique du grand vaisseau-
amiral était fidèlement rapportée et, à partir
de là... Ariel poursuivit sa lecture avec un intérêt redoublé, ne releva la tête qu'après avoir
lu les circonstances de la reddition schlga-
nienne, la signature de l'armistice et celle de la
paix. Il appela auprès de lui ses camarades
qui, jusque-là, avaient respecté son silence et

toujours sans un mot, leur montra simplement la grande photo qui, en guise de point final et d'apothéose, emplissait la dernière page.

Sauf pour Artmè, le décor leur était familier : l'immense place qui s'étendait devant le Palais du Parlement fédéral, mais, au centre de cette place et en premier plan, se dressait un imposant monument que nul d'entre eux n'avait jamais vu. Au sommet d'une massive parabole de marbre bleu évoquant une vertigineuse ascension vers l'espace, s'érigeait obliquement la silhouette ovoïde et fuselée d'une hypernef pointant vers les étoiles et, au-dessous, sur une plate-forme saillante comme une proue, cinq statues debout, visages tendus vers l'horizon, chevelures rejetées en arrière sous le souffle du vent des innombrables soleils. Un homme puis, légèrement décalés, un autre homme et une femme et enfin, comme les deux ailes de ce triangle immobile lancé dans une implacable course vers de fulgurantes constellations, encore deux femmes. Immobiles, frappés de stupeur, les cinq compagnons contemplaient ces cinq visages de pierre qui étaient les leurs.

Ariel, Ephraïm et Paola, Astrid et Artmè sculptés dans la dure pierre pour l'éternité...

CHAPITRE X

Quand résonna l'annonce de l'émersion, tout l'équipage de *La Vagabonde* était réuni dans le poste, guettant le retour des étoiles sur les écrans. Ariel et Paola firent soigneusement le point, vérifiant qu'ils se retrouvaient sur la frange de la Nébuleuse de Gum opposée au Sagittaire et comparant avec une attention toute particulière les chronographes.

— Coordonnées conformes à la programmation, fit la navigatrice. Nous sommes bien en territoire ennemi et au moment prévu.

— A l'indispensable fraction de seconde près ?

— Ecoute, chéri, ce n'est pas pour rien que je t'ai demandé cinq émersions successives au long du parcours afin de réduire l'angle d'approximation jusqu'à la certitude voulue. Ce n'était jamais qu'une deuxième décimale !

— Je constate que le vice de curiosité se développe en moi d'une façon inquiétante, émit doucement Artmè. Vous ne nous avez pas encore dit la date exacte à laquelle vous vouliez revenir. Je sais que c'est pendant votre guerre mais repartez-vous du moment même de votre disparition ?

— Ou bien un tout petit peu plus tôt pour sauver le *Dirac* ? enchaîna Astrid.

— Non. Le sort de nos amis m'afflige certainement et peut-être encore plus que toi, mais nous ne pouvons rien changer, tu as vu qu'il appartient déjà à l'Histoire. Nous n'allons pas recommencer nos discussions au sujet du paradoxe, ou alors pourquoi ne pas retourner encore plus en arrière et intervenir dès le début des hostilités, pendant que nous y sommes ? Non, nous reprenons les choses conformément au récit du livre et sans tenter de les modifier.

— Dommage, souligna Ephraïm, que cet ouvrage demeure si vague sur le déroulement lui-même de ce retournement de situation. Je me doute bien que nous nous refuserons à le commenter en détail, il y a des secrets qu'il serait dangereux de dévoiler pour le bon équilibre futur, mais j'ai un peu peur de dérailler par rapport à l'Histoire telle qu'elle sera écrite.

— Toute histoire n'est qu'une synthèse construite après coup, sourit Ariel, et ceux qui l'ont vraiment vécue ne la reconnaissent pas toujours ; j'ai retrouvé mention d'une opération à laquelle j'ai personnellement participé et ça ne s'est pas du tout passé comme ça. De toute façon, nous connaissons les grandes lignes du jeu que nous allons entreprendre demain, pour le reste, nous improviserons. C'est le résultat qui compte. Je m'excuse seulement vis-à-vis d'Artmè qui ne prévoyait sûrement pas, en quittant un monde où la guerre est oubliée, qu'elle allait se retrouver en pleine bagarre. Mais elle est bien obligée d'y prendre part puisque sa statue figure sur le monument.

— Même si j'avais pu prévoir ce qui allait arriver, je n'aurais jamais voulu le manquer ! C'est une tout autre chose et bien plus grandiose que mes petites courses derrière un dixcors. Aujourd'hui la meute est une civilisation entière et le gibier une autre civilisation !

— Reprenons le programme, fit Paola. Nous commençons par le ratissage des bases ennemies, n'est-ce pas ?

— C'est ça. Six en tout : deux avancées jusqu'aux abords de Gum, trois secondaires à mi-distance et enfin la principale sur Schlgan même. Détruire les réserves et paralyser la logistique... C'est une stratégie tout ce qu'il y a de plus élémentaire et qui ne présente que le seul défaut d'être en général inapplicable parce que le premier soin de l'adversaire est de protéger ses points névralgiques d'une telle façon qu'aucun raid ne puisse le menacer. Patrouilles d'intersection, ceintures de mines dérivantes activées à la moindre émersion, barrières de répulsion cinétique, champs de neutralisation et de distorsion, antimissiles autoguidés — la cuirasse est impassable.

— C'est pourquoi cette guerre tourne stupidement à des duels entre nefs dispersées dans le vide interstellaire, fit Ephraïm. Malgré toute notre science nous n'avons fait aucun progrès sur les affrontements des chevaliers errants du Moyen-Age. Le vainqueur sera celui qui aura réussi à détruire totalement la flotte de l'autre tout en conservant suffisamment d'unités pour pouvoir dicter sa loi. Comme il semble bien que Schlgan dispose de trois fois plus de vaisseaux que nous...

— Des vaisseaux qui ne peuvent continuer à combattre longtemps si leurs sources de ravitaillement sont coupées. Un torpilleur par exemple est une arme de première importance, le *Dirac* avec toute son énorme puissance l'a appris à ses dépens. Mais il ne dispose que de huit à douze missiles et, quand il les a largués, il doit se réapprovisionner ou abandonner la poursuite. Il est aussi inutile que s'il avait été abattu. En outre, si les grands états-majors directeurs sont eux-mêmes privés de leurs moyens de liaison et de transmission et ne peuvent plus donner les ordres indispensables à la coordination des manœuvres, la pagaille et la débandade qui en résultent mettent le point final. C'est bien la tactique que nous avons... pardon, que nous allons employer, n'est-ce pas ?

— Le livre le dit..., affirma Paola. Mais de toute façon, nous serions bien arrivés tout seuls à la même décision, non ?

— Etant donnés les nouveaux moyens dont nous disposons maintenant, la doctrine d'action est évidente. L'essentiel est que nous possédions une réserve de feu suffisante pour annihiler les Bases.

— J'ai fait le compte, répliqua le maître technicien. Il nous reste quarante-cinq petits missiles antimatière, tout le reste est parti lors de l'accrochage avec la défense du convoi dans le secteur de Bételgeuse. A part ça, il y a toujours les radiants et les projecteurs thermiques, mais leurs faisceaux sont très étroits et ne peuvent atteindre que des objectifs réduits et localisés.

— Les missiles vaporisent quand même un bon kilomètre carré au sol ; si on vise bien pour éviter le gaspillage, quatre ou cinq doivent suffire pour liquider une base normale. Mettons-en à la rigueur huit pour celle du G.Q.G., nous ne devrions pas épuiser la soute. Après on jouera autrement... Paola jolie, encore une fois, tu es bien certaine du décalage exact ?

— A deux millièmes de seconde près.

— Alors donne-nous le premier azimut et en route !

Après une plong¿e de moins de deux heures en temps relatif suivie de la classique parabole d'approche, la planète visée emplit les écrans. Très quelconque et même relativement peu habitable (type martien terramorphisé par réduction des oxydes pulvérulents de la surface entraînant l'accroissement du taux d'oxygène atmosphérique et la réapparition d'une végétation rase réamorçant le retour du cycle vital) dans une période normale elle n'aurait jamais attiré que quelques prospecteurs animés beaucoup plus par le démon de l'aventure que par le désir de s'enrichir, sûrement pas des colons. Mais du point de vue militaire, sa position avancée était excellente, elle hébergeait donc une importante base qui ne tarda pas à se dessiner en détail au-dessous de la nef arrivée en orbite basse.

— C'est bien cela, sourit Ariel. Tout est groupé sur une surface restreinte autour de l'astroport de façon que l'ensemble soit protégé efficacement par les barrages et les champs d'interdiction. On est bien obligé de mettre tous les œufs dans le même panier lorsque le rôle de ce panier est d'éviter la casse. On reconnaît facilement la centrale d'énergie cosmique, les bâtiments et les paraboles des émetteurs de toute sorte, y compris ceux de la détection et des barrages — l'état-major de la Flotte du secteur doit se trouver dans le même bloc — les ateliers de maintenance et de réparation, les hangars et les silos des stocks, les diverses annexes. Quant au terrain il est vraiment bien garni : il y a au moins deux bonnes centaines d'unités de tout tonnage au pied des pylônes de manœuvre antigravifique, sans compter celles qui peuvent se trouver dans les hangars groupés à l'autre bout. Ça représente à première vue trois escadres, probablement rassemblées en prévision d'une offfensive d'envergure.

— Un bel objectif numéro un, sourit Ephraïm. Ça va être un carambolage maison !

— Attention ! A toi la responsabilité. Tu es

le maître de l'armement comme de la technique. Cinq missiles, pas plus.

— Quatre suffiront, mon vieux.

La Vagabonde avait atteint la verticale à quarante mille mètres d'altitude. Ariel estimait que cette distance convenait pour donner le temps d'observer les impacts et s'enfuir obliquement en accélération maximum avant d'être atteints par les ondes de choc, une étude plus approfondie des résultats serait toujours possible ensuite grâce aux enregistrements automatiques des caméras. Rivé au tableau de commandes de tir, Ephraïm régla posément ses collimateurs, effleura le clavier. Accompagnés du claquement à peine audible des opercules des tubes, les minces fuseaux jaillirent en rafale et, un quart de minute plus tard, quatre lueurs fulgurantes embrasèrent l'écran de vision, grossissant avec une fantastique rapidité et noyant complètement l'image sous une boule de feu dévorant. Avec un hochement de tête approbatif, Ariel s'anima à son tour, lança irrésistiblement la nef dans une vertigineuse ascension jusqu'à ce que l'espace bleu et bientôt après le néant incolore du continuum se referment sur elle. La première mission était terminée, maintenant l'équipe pouvait tranquillement examiner au ralenti le film du bombardement.

— Travail impeccable, fit le pilote. Chaque torpille a touché exactement là où elle pouvait faire le plus de dégâts : la Centrale, le P.C. et les deux extrémités du terrain, englobant le dépôt, la piste et les hangars. Tous les stocks ont dû à la fois se transformer en feu d'artifice, on peut être tranquille, la totalité de la Base est rasée.

— Une véritable éruption solaire, murmura Artmè. Puisque vous le dites, ce doit être du beau travail... Mais il y a un petit détail qui m'échappe absolument : vous disiez que ces Bases étaient formidablement protégées, des barrières impassables, que je connais bien d'ailleurs, puisque nous avons les mêmes. Aucune flotte ne pouvait les approcher ni même émerger dans leurs parages, encore moins tenter une attaque. Et voilà qu'un seul vaisseau, une minuscule vedette arrive tout tranquillement, entre dans l'atmosphère, s'immobilise juste au-dessus, prend tout son temps pour discuter le coup et bien viser, lâche ses torpilles et s'en va sans que la moindre défense soit entrée en action. J'ai bien regardé l'écran, toute l'activité de cette Base apparaissait absolument normale, les engins au sol allaient et venaient, on distinguait même des gens qui se déplaçaient paisiblement çà et là. Comment la présence de *La Vagabonde* n'at-elle pas été détectée ? Et d'abord, comment avez-vous pu franchir toutes les barrières ?

— Et pour terminer, fit Paola, comment peux-tu toi-même poser pareilles questions alors que c'est à toi que nous devons le succès de cette opération ?

— A moi ?

— Mettons à tes ancêtres et à leurs archives, si tu veux, mais comme c'est grâce à toi que nous les avons déchiffrées et que tu les connais aussi bien que nous, je m'étonne que tu n'aies pas encore compris. Nous possédons maintenant la clé du déplacement temporel, n'est-ce pas ? A notre premier essai, le retour dans notre univers, nous sommes arrivés quarante ans trop loin. A partir de là, j'ai rectifié les données par approximations successives pour effectuer le rattrapage de l'erreur et revenir finalement à l'époque choisie pour intervenir au mieux dans le déroulement de la guerre et la faire cesser au plus vite en assurant la victoire, la nôtre naturellement. Mais, quand nous sommes entrés dans le jeu, j'ai soigneusement conservé un infime décalage, un rien, juste un dixième de seconde. Nous sommes un dixième de seconde en avance sur le temps réel, tu saisis ? Partout où nous allons, nous sommes invisibles et indétectables, parce que nous n'existons pas encore. Aucune barrière ne peut nous arrêter, parce qu'elle non plus n'existe pas encore pour nous, les ondes émises bâtiront leur réseau là où nous ne serons déjà plus. Un tout petit dixième de seconde, c'est une éternité pour des ordinateurs qui répondent au dixième de nano-seconde. Pour eux, la différence de dix puissance huit dans l'avenir ! Mais pour nous l'objectif lui-même nous apparaît bien réel. Le décalage d'un dixième de seconde est le même que si nous l'observions à trente mille kilomètres de distance. Rien n'aura changé de façon appréciable, entre le moment où nous le visons et celui où nous déclenchons notre tir. Surtout pas les bâtiments eux-mêmes. Il suffit de régler les détonateurs des missiles pour qu'ils se déclenchent également un dixième de seconde après l'impact et que l'explosion ait bien lieu dans le temps actuel. Nous avons effectué notre approche dans le futur, nous avons lancé nos torpilles à partir du futur, elles ont touché dans le présent et voilà tout. Et nous, nous repartons dans le même futur pour la seconde opération.

Artmè soupira profondément, leva les yeux vers le plafond du carré.

— Et dire que l'on me reproche à moi de courir après un cerf pour essayer de le toucher avec un pauvre petit arc et une pauvre petite flèche...

La suite du plan se déroula avec la même déconcertante impunité, la volatilisation de l'énorme base centrale de Schlgan fut particulièrement grandiose, ses dimensions étaient telles qu'Ephraïm dut employer douze projectiles antimatière mais le succès était total et les soutes n'avaient même pas été vidées, il restait encore un rack de dix au complet. Glorieusement seule au cœur de l'espace vide, à cent cinquante mille kilomètres au-dessus de Schlgan où, malgré la distance, une minuscule tache d'intense lumière témoignait de leur passage, *La Vagabonde* flottait tranquillement en inertie orbitale et son équipage fêtait gaiement le succès des premières opérations.

— Nous avons porté à l'adversaire un rude coup, fit Astrid, mais ça m'étonnerait qu'il suffise à l'abattre définitivement. Sans être le moins du monde stratège, je serais personnellement tentée d'appeler maintenant nos flottes à la rescousse, nous leur avons ouvert la porte et elles pourraient se charger de terminer le travail. Seulement, d'après le livre, il semble bien que nous ayons tenu à jouer une seconde partie sans y convier les autres. Quel est le programme ?

— Très simple pour le moment, nous restons ici et nous attendons.

— Qui ou quoi ?

— Les escadres schlganiennes, bien entendu. Que pourront-elles faire dès qu'elles s'apercevront qu'elles sont complètement coupées de leur haut-commandement au sol et qu'elles ne reçoivent plus ni instructions ni ravitaillement logistique ? Evidemment faire demi-tour pour venir voir ce qui se passe et tâcher d'y porter remède.

— Ça me paraît naturel. Tu décides donc de demeurer sur place pour les accueillir ?

— Certainement, et j'espère bien qu'elles ne tarderont pas trop et qu'elles obéiront à l'impulsion que tu viens toi-même d'exprimer. Il ne faut pas oublier qu'elles représentent une puissance par elle-mêmes à l'échelle galactique. Les grands croiseurs lourds en particuliers sont de véritables planétoïdes autonomes, équipés de tout le nécessaire pour combattre durement et très longtemps. Souviens-toi du *Dirac*, auquel nous avons appartenu. Si l'envie leur prenait d'exercer immédiatement des représailles sur nos propres objectifs, ils n'y arriveraient sans doute pas aussi facilement que nous, mais ils feraient quand même de gros dégâts et *La Vagabonde* serait obligée de leur courir après sans savoir au juste où ils se trouvent. Tandis que si tout se passe comme je le prévois, ils viendront d'eux-mêmes émerger ici pour s'offrir à nos coups.

— Mais tu ne vas pas attaquer de pareilles unités uniquement avec la poignée de minuscules missiles qui restent ? Je veux bien admettre que nous bénéficions toujours de notre dixième de seconde dans le futur, il n'empêche que les vaisseaux que tu veux mettre à mal sont sûrement plus nombreux que nos torpilles et qu'ils possèdent une triple coque ; même si tu désintègres la première, ils auront encore une chance de s'en tirer.

— Ça, c'est maintenant l'affaire d'Eph. Je crois qu'il a su tirer des documents exhumés par Artmè et Paola d'autres possibilités que cette simple technique de précession temporelle. De toute façon, nous ne nous éterniserons pas ici outre mesure, tu sais que, pour un observateur extérieur, nous dans ce cas, un trajet dans le continuum est instantané. S'ils décident le repli, ils seront immédiatement là. Nous allons donc établir un quart de surveillance des écrans de vision extérieure pour guetter les émersions. Nous ne pouvons pas plus qu'eux compter sur les détecteurs puisque les faisceaux radars ne nous reviendraient pas. En passant, je te signale que si nous n'alertons pas notre Flotte, c'est justement parce qu'elle ne peut pas non plus capter nos messages. Si nous y tenions absolument, nous serions obligés de rétrograder vers le temps actuel et de perdre notre seul avantage — il serait trop long ensuite de le rattraper. Tu as vu tout le boulot qu'a dû faire Paola pour les cinq dernières émersions ? Les autres auraient le temps d'observer, de tirer leurs conclusions et de repartir avant que nous soyons de retour à notre poste...

Ariel ne s'était pas trompé dans ses prévisions. Les états-majors navigants de l'Imperium ne pouvaient pas résister au désir de venir personnellement se rendre compte de la raison pour laquelle toutes leurs liaisons avec la métropole avaient soudainement été interrompues. Les premières nefs qui jaillirent du néant étaient de petites unités, des vedettes semblables à *La Vagabonde* envoyées comme éclaireurs en mission de renseignement. Posément, Ephraïm se mit à les cadrer dans son collimateur.

— Non, s'interposa Ariel, pas encore ! Laisse-les regagner leurs postes d'attache, ce qu'ils rapporteront ne fera que précipiter les événements. Ils auront vu que les Bases sont intégralement détruites, y compris celle où se terrait le G.Q.G. et ils auront vu en même temps que l'espace environnant est absolument vide. Aucune trace d'un raid terrien et d'ailleurs ils connaissent toutes nos positions et savent que nous ne les avons pas dégarnies pour tenter une pareille aventure, sans compter que l'offensive se serait brisée contre les barrages. Ils ne comprendront absolument plus rien et viendront fatalement ici pour déterminer ce qu'ils vont faire.

C'était bien cela. Les états-majors de chaque escadre n'avaient d'autre solution que se regrouper aux abords de la planète-mère non seulement pour voir le tableau par eux-mêmes, mais en sachant bien que l'ensemble réuni de leur flotte spatiale représentait une force telle qu'elle devait être invulnérable et qu'elle reconstituait en quelque sorte un nouveau haut-commandement capable de succéder à celui qui s'était définitivement tu, ils pourraient mener à bien une réorganisation suivie de la reprise des hostilités. L'un après l'autre, les énormes sphéroïdes apparurent dans le champ des téléobjectifs, deux, trois, quatre, bientôt ils étaient là tous les sept, sept invincibles globes de plastométal entourés de leurs quasi-impassables champs de neutralisation. Ils flottaient majestueusement à quelques centaines de kilomètres de distance l'un de l'autre, renfermant dans leurs soutes et leurs tourelles de quoi transformer des planètes entières en une impalpable poussière de débris vitrifiés et, dans les ponts supérieurs de chacun, se rassemblaient aussi tous les amiraux, tous les grands officiers d'état-major, tous les meilleurs techniciens de Schlgan, tous ceux sur lesquels reposait le dernier espoir de l'Imperium.

— Maintenant ! ordonna sèchement Ariel. Il faut aller très vite et ne pas leur laisser le temps de se reprendre. Aucun d'entre eux ne doit replonger dans le continuum !

Les mains d'Ephraïm s'abattirent sur les

claviers dont il effleurait les touches avec une étourdissante virtuosité tandis que les écrans du tableau de tir s'embrasaient presque simultanément. Tout se déroula en un temps étonnomment bref et, à nouveau, il fallut plus tard repasser au ralenti les enregistrements pour bien s'assurer qu'aucun des objectifs n'avait échappé à la destruction et, en outre, pour bien réaliser comment les gigantesques croiseurs lourds et quatre ou cinq millions de tonnes avaient trouvé leur fin. Lentement, nettement, le cadre du lecteur fit revivre les images successives. Quatre secondes d'action s'étalèrent au long d'un grand quart d'heure.

D'abord la première sphère apparut à la croisée des fils du réticule, étincelante dans le soleil. Rien d'autre ne se dessina sur le pourtour, ni le fuseau des missiles fonçant à haute vélocité ni l'éblouissant faisceau d'une décharge d'énergie pure et pourtant, brusquement, le croiseur parut s'ouvrir en deux. Plus exactement un secteur entier de sa circonférence disparut subitement, on aurait dit qu'un couteau invisible venait de sectionner un quartier de cette grosse orange mettant à nu tous les cloisonnements et leurs cellules internes. Mais ce quartier, cette tranche ne faisait pas que se séparer du reste, il avait purement et simplement cessé d'exister. Une bouche aussi invisible que le couteau l'avait aussitôt avalé. Ce qui restait représentait peut-être les trois quarts sinon les quatre cinquièmes du vaisseau, mais il était frappé à mort ; toute l'atmosphère intérieure s'échappait par la grande

brèche en un blanc nuage de glace immédiatement absorbé et dissipé dans le vide. Tout écla-
tait, se désintégrait, s'éparpillait sous la brutale différence des pressions. Nul ne pouvait
survivre là-dedans plus de quelques fractions
de seconde. La masse déchirée et déséquilibrée
n'était plus qu'une épave que même les maîtres ordinateurs épargnés ne pouvaient plus
manœuvrer, en admettant qu'il reste encore
des générateurs pour les alimenter. Ce n'était
plus qu'un gigantesque bloc de métal définitivement dénué de propulsion et de sustentation qui basculait maintenant, obéissant à la
gravitation de la planète et amorçant la longue
parabole au bout de laquelle il irait se broyer
au sol.

Les autres séquences étaient en tout point
identiques. La succession dirigée par Ephraïm
avait été si instantanée que même les officiers
de passerelle du dernier objectif n'avaient pas
eu le temps de réagir — les computeurs
auraient probablement pu le faire, mais comme
leurs circuits d'urgence étaient reliés aux détecteurs et que ceux-ci ne pouvaient capter une
présence dans le futur, ils étaient demeurés
passifs et aucun cerveau humain n'avait de
réflexes assez rapides pour réaliser ce qui sur-
gissait ainsi du néant, le comprendre et passer en commandes manuelles pour tenter la
seule échappatoire possible, la fuite dans
l'hyperespace. La totalité des commandements
des armées de l'Imperium n'existait plus. Les
unités qui demeuraient éparses au long de
l'immense front étaient irrémédiablement iso-

lées, privécs de directives, de liaisons avec les arrières, de bases d'appui, de ravitaillement. Elles étaient condamnées à la reddition.

— C'était donc cela que le livre évoquait d'une façon aussi dramatique que pauvre en détails, murmura Astrid. Paralyser d'abord les centres nerveux sur les planètes puis désorganiser la flotte elle-même en la privant de ses unités de commandement. Notre *Dirac* est bien vengé ! Mais maintenant je demande à comprendre. Aucun missile n'a été tiré et du reste il n'aurait jamais pu partager en deux des masses pareilles.

— Certainement pas, sourit Ariel. Les dix minuscules torpilles étaient bonnes pour des installations au sol, comme tu l'as vu, mais elles auraient tout juste pu mettre hors de combat deux croiseurs lourds au maximum. Les cinq autres nous auraient échappé. Eph va t'expliquer.

— Ce n'était qu'une extension de ces théories qu'Artmè nous a permis de découvrir au musée, fit le maître technicien, le petit jeu des déplacements temporels. L'arme dont je me suis servi et que nous devons aux aïeux de nos amis ouryens est un émetteur de faisceau de décalage qui créait au point visé le même transfert dans le futur que celui qui nous rend tant de services. Comme ce faisceau est relativement étroit, il ne pouvait englober la totalité de l'objectif mais seulement un morceau et c'était bien suffisant puisque ce morceau changeait d'époque et cessait donc d'exister dans le temps actuel, laissant le reste se débrouiller

tout seul. Comme on n'a jamais vu une moitié
de vaisseau continuer à naviguer et à manœuvrer, ça revenait tout naturellement à la liqui-
dation totale. On tâchera d'imaginer à l'intention de nos compatriotes une autre explication
à notre technique de combat, bien sûr elle sera
forcément plus vaseuse, mais je pense que
nous sommes tous d'accord pour ne pas pu-
blier les équations du déplacement temporel.
Il y aurait sûrement des généraux obtus — je
m'excuse du pléonasme — qui voudraient en
profiter pour recommencer la guerre à zéro
afin de démontrer leurs qualités de grands stra-
tèges...

— Entièrement d'accord, Eph, et je suis sûr
qu'Artmè partage ce point de vue. Le monde
dans lequel elle va nous accompagner demain
doit être en paix, comme celui d'où elle est
venue. Parce que tu ne nous quitteras plus,
n'est-ce pas ?

— Il ne manquerait plus que vous me ren-
voyiez là-bas ! Sinon, comment pourrais-je figu-
rer sur le monument que va immortaliser notre
victoire ? Toutefois moi aussi j'ai une question
à poser : j'ai bien saisi comment Eph a pu
découper les vaisseaux ennemis, mais où se
trouvent les sections décalées temporellement ?
Elles vont réapparaître quelque part un jour,
et si on les retrouve, on se demandera comment elles ont été détachées sans porter la
moindre trace d'explosion ?

— Pas de danger. Le champ de décalage
comportait en même temps la création d'un
pseudopode hyperspatial, une saillie de l'inter-

face du continuum. Les morceaux en question sont partis sur une quelconque sécante atemporelle et si jamais ils en ressortent, ce sera au moins dans un million d'années. Dans l'avenir ou dans le passé, j'avoue que je n'en sais rien, j'étais tellement occupé à régler mes collimateurs que je ne me rappelle plus si j'ai affecté aux vecteurs un signe positif ou négatif...

CHAPITRE XI

Sur la Terre enfin libérée d'une angoissante menace et ivre de la joie de la victoire, de la paix retrouvée et de la confirmation de sa suprématie de race galactique élue, une petite nef d'apparence minable avec sa coque brûlée et noircie atterrit enfin par une belle matinée d'automne sur une astrobase proche de la capitale de la Fédération. Sagement, Ariel avait attendu à l'écart quelque part sur une planète encore intouchée du secteur du Triangle que le conflit se termine de lui-même ; la suppression de l'infime dixième de seconde de décalage et le retour exact au temps réel permettait de suivre sur les ondes le déroulement des ultimes événements. Ce furent d'abord les successives redditions d'unités isolées puis de flottilles entières et ensuite, quand le gouvernement civil de Schlgan eût réussi à reprendre en mains l'administration de son Imperium, la demande d'armistice très vite accompagnée de la signature du traité de paix. Tout le monde en avait assez. Ce ne fut donc que lorsqu'un calme relatif se fut établi, soit au bout de trois mois-standards que d'un commun accord l'équipe se décida à réapparaître.

Au début, l'accueil de leurs compatriotes fut franchement décevant pour ne pas dire plus. De par leur appartenance, les astronautes étaient naturellement retombés sous la coupe des Autorités militaires et il s'en fallait de beaucoup qu'on les reçût à bras ouverts. D'abord, officiellement, ils étaient portés disparus avec le *Dirac*, donc rayés des cadres et inscrits en lettres d'or sur la liste des héros tombés au combat. Les morts sont mal venus de se permettre de ressusciter et de compliquer ainsi la tâche des bureaux. Et puis, le rôle des équipages mentionnait seulement quatre navigants spécialisés et maintenant qu'il y en avait une cinquième, une étrange jeune femme qui, si elle comprenait parfaitement la lingua media des Planètes Unies, la parlait très mal. Une étrangère, à bon droit digne de toutes les suspicions. Et, par-dessus le marché, ces fantômes prétendaient avoir été les auteurs du retournement de la grande bataille ? C'était terriblement gênant, au moment où toute l'assemblée des généraux et des amiraux étaient déjà en train de rédiger à l'intention des générations futures une splendide page d'histoire dans laquelle chacun s'attribuait le principal mérite de la victoire. Les récits d'Ariel et de ses camarades flanquaient tout en l'air et c'était une offense d'autant moins supportable qu'ils se refusaient à expliquer dans les détails comment ils avaient pu réussir une aussi formidable opération, parlant simplement de trous dans les défenses dont ils avaient su profiter en y ajoutant une rapidité d'action telle que les état-majors ennemis n'avaient pas eu le temps de se rendre compte de ce qui leur arrivait et de se concerter pour la parade. Ceux-ci avaient réagi par un repli élastique de regroupement défensif qui avait permis de les cueillir un à un lors de leur émersion sur leurs arrières. Au fond, tout cela était bien exact sauf la nature réelle des « trous » et certaines armes utilisées, sans compter que les grands chefs de la Flotte spatiale terrienne étaient incapables d'opposer en réplique leur propre stratégie et leurs propres ordres de bataille puisque la percée de *La Vagabonde* n'avait jamais été prévue dans les plans. Et comment cela aurait-il pu être du reste puisque cette même *Vagabonde* avait été officiellement volatilisée ? Somme toute, l'accusation portée contre le pilote de ce vaisseau intempestif se ramenait à ce fait inqualifiable : s'être permis d'agir sans ordres et d'avoir ainsi porté une très grave atteinte à la discipline. On se montrerait peut-être magnanime, on lui accorderait un indulgent pardon ainsi qu'à ses équipiers et même à cette navigatrice surnuméraire et inconnue, mais à condition qu'il accepte de réintégrer le rang et de se taire.

Ce fut Astrid qui s'offrit le plaisir de jeter le pavé dans la mare. Elle n'était qu'un simple médecin, donc un personnage tout à fait secon-

daire, qu'on n'avait pas cru nécessaire de
consigner dans les quartiers de la Base comme
ses amis et elle en profita. Elle connaissait
quelques reporters attachés aux grandes chaî-
nes interstellaires de diffusion tridi, elle les
contacta, leur remit la copie des séquences
enregistrées lors de l'attaque des Bases schlganiennes ou des croiseurs lourds. Aucun journa-
liste digne de ce nom ne pouvait négliger pareille aubaine, tous les milliards d'écrans des
Planètes Unies passèrent et repassèrent à l'envie les convaincantes images. Ce fut un
« scoop » dépassant d'infiniment loin le film
historique des premiers pas d'un certain Neil
Armstrong sur la lune. La révélation entraîna
une véritable tornade et ce que l'on nomme
l'opinion publique — c'est-à-dire tout simplement celle des gouvernés lorsque les gouver-
nants daignent les informer — se déchaîna.
D'un jour à l'autre tous les membres de l'équipage du petit vaisseau à la coque rouillée de-
vinrent les héros du siècle. Le président lui-
même n'aurait pu décider de leur maintien en
quarantaine sous peine d'être aussitôt éjecté
de son trône et pour les cinq camarades, ce fut
une période peut-être encore pire que la précé-
dente : ils faillirent plus d'une fois être littéralement déchiquetés par une gigantesque
foule avide de les acclamer, de les approcher,
de les toucher. De cérémonies en défilés, de
tournées en réceptions, ils n'avaient plus une
seconde de repos ; ils atteignaient les limites
de l'abrutissement complet. Avant que le maels-
tröm ne s'apaise, le Parlement décida l'érec-
tion du grand monument au sommet duquel

La Vagabonde serait juchée. Les souscriptions affluèrent de partout, même des plus lointaines colonies et une délégation réunissant tous les gouverneurs de planètes et même quelques ambassadeurs schlganiens leur offrit en souvenir de la vedette historique un splendide hyper-yacht de grande croisière doté de tous les équipements modernes et baptisé *Vagabonde II*. A l'intérieur du poste de navigation et à côté du livre de bord il y avait aussi l'exemplaire n° 1 du fameux volume historique dédicacé par le président en personne, un document qu'ils connaissaient déjà grâce à un obscur chef d'escale du nom de Nicolaïévitch. Ils comprenaient maintenant pourquoi le dernier chapitre était si bref et si discret sur les détails. C'était bien la faute de leur entêtement à ne pas vouloir révéler comment les choses s'étaient véritablement passées.

Cependant, malgré toute cette gloire qui les auréolait, ils étaient loin d'être heureux. Ce monde qu'ils venaient de retrouver, et qui était pourtant bien le leur, leur semblait maintenant étranger, ils n'arrivaient pas à s'y réadapter comme ils l'avaient espéré. Pour étrenner leur nouveau vaisseau, ils avaient effectué une petite promenade qui les avait portés jusqu'à la Grèce où, après avoir réussi à dépister les reporters, ils avaient tenté de retrouver leurs propres traces. Cette excursion touristique ne leur avait apporté que du désenchantement. La plate-forme de l'Olympe était occupée par un immense hôtel avec cinq mille chambres, six piscines, onze bars et huit night-clubs, le tout relié à la vallée par un réseau de téléphériques. A la place du temple de Dionysos se groupaient les lourds bâtiments d'une centrale d'énergie cosmique surmontée de ses disgracieux solénoïdes. Même sur l'île d'Om'phala, on avait édifié un centre de vacances où s'alignaient des chalets pseudo-tyroliens qui se demandaient visiblement ce qu'ils venaient faire en pleine mer Egée. Quant à l'île de Délos et l'ancienne Dodonè, on y découvrait bien encore les ruines du sanctuaire édifié quelque quinze siècles après leur premier atterrissage dans le passé, mais pour s'en approcher, il aurait fallu se frayer un passage au travers de la horde compacte des amateurs de circuits organisés sur laquelle les guides déversaient à grand renfort de mégaphones une salade d'informations, aussi autoritaires qu'erronées, mêlées à des slogans publicitaires.

Ils regagnèrent au plus vite la capitale avant que tous leurs souvenirs ne soient définitivement détruits mais là non plus ils ne se sentaient guère à leur aise. La grande période d'enthousiasme passée, une certaine hostilité latente recommençait à se manifester à leur égard. De la part du toujours très puissant Grand Quartier Général, d'abord — les étatsmajors sont naturellement beaucoup plus actifs en temps de paix qu'en temps de guerre, car il ne faut pas que l'on puisse mettre en doute la nécessité de leur existence — et faute de pouvoir s'en prendre aux intouchables Ariel, Ephraïm et Paola, qui avaient d'ailleurs démissionné de leurs grades et de leurs obligations, ils firent d'amers reproches à la pauvre petite Astrid.

— En donnant ces enregistrements aux journalistes, vous avez somme toute trahi un secret militaire.

— Vraiment ? Dois-je vous rappeler que j'étais libre de mes actes puisque je n'étais qu'une simple auxiliaire médicale. Je n'avais pas à m'occuper ni de vos ordres ni de vos règlements.

— Les cristaux étaient notre propriété, pas la vôtre !

— Comment auraient-ils pu être à vous puisque vous aviez vous-même rayé *La Vagabonde* et tout ce qu'elle renfermait des rôles de la Flotte ?

— Peu importe ! Leur nature était un secret.

— Pas possible ? Un secret que vous, grand amiral, vous connaissez, naturellement ?

La réplique ne faisait que retourner le fer dans la plaie en sous-entendant que l'équipage du célèbre vaisseau détenait des connaissances mystérieuses et d'incompréhensibles pouvoirs qu'ils se refusaient à dévoiler. Tous les meilleurs agents de tous les S.R. allaient donc se rabattre sur eux et leur rendre la vie impossible. D'autre part, la classique versatilité de l'opinion publique commençait aussi à se manifester ; des rumeurs propagées à partir de sources incontrôlables se répandaient, accusant plus ou moins ouvertement Ariel et ses camarades — dont l'une demeurait d'origine inconnue et donc suspecte — d'avoir conçu et mené leur grande expédition uniquement dans le but personnel de devenir stellairement célèbres. Ce n'étaient au fond que des corsaires indisciplinés cherchant bien plus une vaine gloire que le salut de l'humanité. Evidemment, ce changement d'attitude était anormal ; les foules sont coutumières de semblables reflux et tout se décanterait plus tard, le monument demeurerait debout, mais ce n'était guère agréable d'être le sujet de ces sournoises attaques de la calomnie. Artmè elle-même, toute dés: euse qu'elle eût été de connaître une nouvelle époque et une civilisation différente, se montrait déprimée. Sa passion pour la chasse lui avait attiré la sévère réprobation de la Société Protectrice des Animaux (manifestation rendue encore plus acerbe, quand la jeune femme s'était innocemment étonnée qu'il n'existât pas aussi une Société Protectrice des Hommes...) et du reste cerfs, chevreuils et autres antilopes appartenaient à une espèce depuis longtemps disparue, même des jardins zoologiques ; ses derniers représentants n'avaient pu s'habituer à vivre derrière des grilles. Aussi ses quatre amis la considérèrent-elle avec un vif intérêt lorsque, un beau matin, elle émit doucement une toute petite phrase :

— J'ai eu des nouvelles de Djess et des autres, la nuit dernière...

— C'est vrai ? s'exclama Paola. Tu as vraiment été en liaison avec eux ?

— Oh ! je m'excuse de ne pas vous l'avoir dit plus tôt, mais j'avais emporté avec moi un petit transcepteur de poche, un communicateur qui fonctionne sur le principe des ondes sans véhicule.

— La théorie de la propagation spatiale ? se récria Ephraïm. Mais nous n'avons jamais pu encore en tirer une application !

— Nos ancêtres avaient dû le faire, en tout cas ça marche très bien jusqu'aux limites de la méta-galaxie et sans se soucier des décalages temporels. Je ne m'en étais pas servi jusqu'à maintenant mais je crois que je commence à éprouver un peu de nostalgie.

— Figure-toi que tu n'es pas la seule, soupira Astrid. Et comment se portent nos explorateurs ?

— Ils ont découvert une nouvelle planète quelque part par là-bas, derrière la Voie lactée. Un climat excellent, au milieu d'une race très accueillante et parfaitement primitive. Ils se sont installés au sommet d'une montagne au pied de laquelle Diéno a déjà commencé à faire construire son temple tandis que Paasédo se bagarre avec les poissons et que Djess fait des ravages parmi les filles de bonne famille à la grande fureur d'Hyria. Il paraît aussi que le gibier de courre est abondant...

— Incidemment, fit Ariel, n'aurais-tu pas également obtenu les coordonnées de lieu et d'époque de ce monde non civilisé ?

— Ma foi si, je les ai même notées et transcrites en symboles terriens. J'espère que je n'ai pas fait d'erreurs... Surtout avec ce vecteur d'équivalence transtemporel...

Pendant une longue minute tous les membres de l'équipage se dévisagèrent sans parler puis finalement Ariel reprit la parole d'un air dégagé.

— Ne pensez-vous pas qu'il serait temps d'expérimenter notre *Vagabonde II* sur un grand trajet au long des sécantes rémanentes ?...

F I N

DÉJA PARUS DANS LA MÊME COLLECTION

VIENT DE PARAITRE :

Maurice Limat
ASTRES ENCHAINÉES

A PARAITRE :

Gilles Thomas
LES HOMMES MARQUÉS

ACHEVÉ D'IMPRIMER
SUR LES PRESSES
DE L'IMPRIMERIE FOUCAULT
126, AV. DE FONTAINEBLEAU
94270 - LE KREMLIN-BICÊTRE

DEPOT LEGAL : 2e TRIMESTRE 1976

IMPRIMÉ EN FRANCE

PUBLICATION MENSUELLE